LIBROS PELIGROSOS

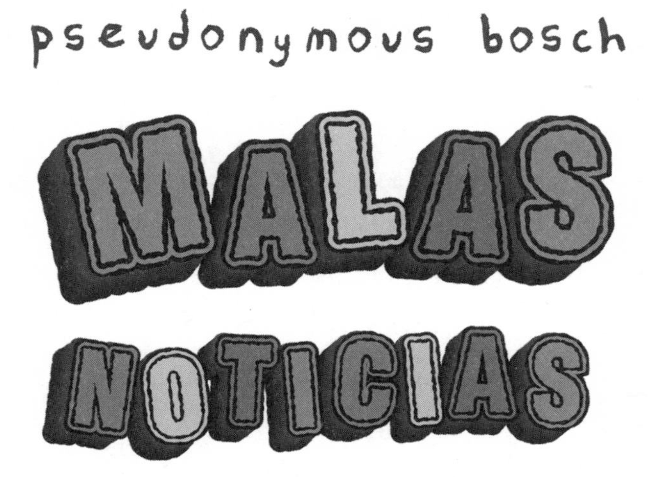

LIBROS PELIGROSOS

Traducción de
Adolfo Muñoz

ANAYA

Título original: *Bad News*

1.ª edición: mayo de 2019

Juan Ignacio Luca de Tena, 15. 28027 Madrid
www.anayainfantilyjuvenil.com
e-mail: anayainfantilyjuvenil@anaya.es

ISBN: 978-84-698-3677-4
Depósito legal: M-6791-2019
Impreso en España - Printed in Spain

Las normas ortográficas seguidas son las establecidas por la
Real Academia Española en la *Ortografía de la lengua española*,
publicada en el año 2010.

Índice

Para Asa y Cyrus
(POR FIN)

Secretos del Occulta Draco
o
Memorias de un domador de dragones

Cuando alguien conoce a un domador de dragones, tiende a hacerle muchas preguntas irritantes, pero la peor de todas es: «¿Qué se siente cabalgando un dragón? ¿Se parece a cabalgar en un caballo?».

Normalmente, mi respuesta consiste en quedarme mirando fijamente al que me pregunta hasta que se pone nervioso, se excusa y se va. (Consejo: no intentéis esto en palacio). Pero si me siento bondadoso, puede que responda algo como:

«No, montar un dragón no se parece a montar un caballo. A menos que el caballo sea salvaje y corra tan rápido como el viento, y que lo estéis montando sin silla ni riendas, y que el asiento no sea más cómodo que un cactus. Y que tengas todos los motivos del mundo para pensar que te caerás en cualquier momento y que al caerte encontrarás una muerte temprana, dolorosa y segura. Dadas todas esas condiciones, pues sí, cabalgar un caballo puede ser un poco como cabalgar un dragón. Pero aun así, al menos en un caballo uno podría agarrarse a las crines, mientras que los dragones no tienen crines. Es verdad que algunos tienen cuernos, pero que nadie se atreva a agarrarse al cuerno de un dragón, porque a él no le gusta».

Aquí suelo callarme para darle tiempo al que me está escuchando de que se imagine lo que podría hacerle un dragón si se atreviera a tocarle un cuerno. Y a continuación prosigo con guasa:

«Si no se parece a montar un caballo, ¿entonces a qué se parece?, te preguntarás. El rinoceronte tiene un cuerno, ¿tal vez un dragón es como un rinoceronte volador? Vamos a ver: ¿Te atreverías a hacer la comparación delante de un dragón? Si la respuesta es sí, mejor callarse».

Entonces mi voz se convierte en un gruñido:

«En otras palabras, ¡que les zurzan a los caballos! Compararlos con ellos es insultar a los dragones. El dragón no es un animal descerebrado. La mente de un dragón es más sabia e increíblemente más compleja que la tuya».

Cuando llego aquí, entrecierro los ojos lanzando la más intimidante de mis miradas, que resulta, si se me permite decirlo, muy, muy intimidante.

«¿De verdad quieres saber cómo es eso de montar en un dragón? Antes de nada, tú no montas el dragón, es el dragón el que te monta a ti. En cuanto te subes al lomo de un dragón, olvida la idea de controlar nada. El dragón es el piloto, y tú eres un pasajero... No, más bien un polizón apenas tolerado a bordo.

»Un dragón es un animal tan fuerte que hasta el más leve aleteo de una de sus alas levantará tales revuelos de aire que te hará recular hasta la cola. Cuando el dragón vuela, parece como si te arrancaran la cara. El aire tira de tu pelo hacia atrás, cuando no te lo arranca completamente. Al atravesarlas, las nubes emborronan tu camino. Las aves salen disparadas hacia atrás, pues eres tú mucho más rápido que ninguna de ellas.

»¿Emocionante? Pues sí, ciertamente. Siempre que seas capaz de sostenerte. Ah, ¿he dicho que tenías que soltarte al montar un dragón? Eso era una metáfora, una manera de hablar, so bobo».

Y al decir esto, golpeo con la yema del dedo el pecho de mi interlocutor. (Nota: tampoco esto resulta prudente si uno se encuentra en palacio).

«Por supuesto que uno no puede soltarse de verdad. Hay que agarrarse bien fuerte al cuello del dragón, hundiendo las uñas en la piel escamosa del animal, apretando las piernas contra sus enormes costados. Y no soltarse ni por un segundo, si uno quiere contarla.

»Y cuando, como sucede a veces, el dragón da uno de sus brincos legendarios, entonces no solo te tienes que agarrar a él, sino también a tu cabeza. Como nos advierten los viejos: 'No dejes brincar a un dragón cuando estás sobre él o dejarás los sesos en el otro sitio'».

Esa parte del consejo es bien conocida, y es bien cierto que el brinco de un dragón no es apto para los delicados del corazón. Pero el consejo no se queda ahí, hay más que solo saben los seguidores del *Occulta Draco*. Por supuesto, yo no les cuento el resto a los extraños, pero a ti, querido aprendiz de domador de dragones, te lo contaré todo:

No dejes brincar a un dragón cuando estás sobre él
o dejarás los sesos en el otro sitio.
Pero si tienes que hacer ese viaje de vértigo,
tres cosas te mantendrán aturdido pero despierto:
Primera, la espada de tu enemigo señalará el camino.
Segunda, el escudo que hiciste tendrá a raya a los fantasmas.
Tercera, si no quieres el cerebro medio muerto,
no olvides ponerle un casco antes de salir.

Capítulo
1

El secreto del cráter

Se suponía que no iba a haber luna.

Era solo una astilla, no llegaba a cuarto creciente. Aun así, arrojaba más luz de la que ella hubiera querido. Aun con su ropa negra y el rostro embadurnado de hollín, resaltaba contra las rocas que formaban las laderas del gigantesco cráter.

Deteniéndose a la sombra de un peñasco, se quitó de los ojos las gafas de visión nocturna (al fin y al cabo, no le hacían falta) y consideró la mejor manera de avanzar. Al cabo de unos instantes, llegaría a lo alto de la ladera. Y no tenía ni idea de qué o a quién encontraría allí, esperándola. O, más bien, tenía varias ideas, ninguna de las cuales invitaba al optimismo.

Si al menos hubiera llegado dos días antes, ahora se encontraría ascendiendo por allí en la completa oscuridad, tal como había planeado. El problema era que en vez de los cuatro días que había previsto que le llevaría cruzar a pie el Kalahari, había necesitado seis. O seis noches, para ser más exacto. Andar de noche resultaba más fresco. Y más seguro.

Se suponía.

Por supuesto, se había encontrado sus contratiempos, desde luego. Como el escorpión que le había caído del sombrero; o la manada de búfalos cafre que la había obligado a apartarse cinco kilómetros del camino; o el «hoyo de agua» que había resultado ser un hoyo de barro. (Afortunadamente, ella se había pasado parte de la infancia leyendo sobre arenas movedizas).

Y luego estaban los humanos, los nómadas bosquimanos. No podían creerse que ella anduviera sola, sin camello, ni guía, ni teléfono móvil. No se tragaron la historia que se había inventado de que era una corredora de ultramaratón. ¿Atravesar corriendo un desierto de casi doscientos kilómetros sencillamente porque sí? Como no se tragaron esta primera mentira, les contó que era una estudiante de la universidad que estudiaba los efectos de la sequía en las poblaciones de animales locales. Eso sí se lo creyeron. Aunque se rieron con ganas cuando les habló de su mono experimental para ahorrar agua corporal. Tenían razón sobre el mono, pues le daba tanto calor que sudaba más agua de la que ahorraba. (En cuanto a sus experimentos con la orina, eran harina de otro costal. Pero mejor olvidar esta historia.*). Al final, se había pasado las primeras ho-

* La propia mujer no era aprensiva al respecto. Es el autor el que prefiere no entrar en detalles de cómo conservar y tratar la orina de tal modo que resulte ingerible. (Y sí, por si tienes dudas, «ingerible» significa «bebible»). En sus esfuerzos de conservación de la humedad, nuestra intrépida cruzado-

ras de la noche escuchando las explicaciones de los bosquimanos sobre el escarabajo del desierto del Namib, que era sin duda un ser fascinante, pero le hizo perder un tiempo precioso.*

No importa. Regla número uno de los forofos de la supervivencia: no le des más vueltas a lo que no puedes corregir.

Palpó el bolsillo lateral de su mochila, donde había metido unas cuantas barritas energéticas. Las había puesto allí a modo de regalo para sí misma, a pesar del exceso de azúcar que contenían y de que el envoltorio no era biodegradable. Solo le quedaba media barrita.

Se metió un trozo en la boca y guardó el resto para más tarde.

Volvió a colocarse la mochila, y reanudó la ascensión.

Tendría que subir lo más rápido que pudiera, y confiar en que, al pasar al otro lado, encontrara un sitio donde esconderse.

◆ ◆ ◆

Lanzó un suspiro de alivio en el momento en que llegó arriba. No había centinelas apuntándola con rifles, tan

---

ra del desierto se inspiró, me parece, en la famosa novela de ciencia ficción *Dune*. Su mono se daba un aire muy evidente al destiltraje que llevan los nativos de Arrakis, el planeta desértico de *Dune*. Por desgracia, su mono no funcionaba tan bien como las versiones ficticias que lo inspiraron.

* El escarabajo del desierto del Namib es famoso por su extraña pero ingeniosa adaptación al árido entorno. El caparazón del escarabajo del Namib recoge la humedad del aire, que después condensa e introduce en la boca del insecto.

solo una estrecha meseta rodeada de rocas puntiagudas. Solo quedó expuesta un instante antes de que pudiera agacharse detrás de una cornisa para mirar a su alrededor. No vio indicios de cámaras ni de detectores de movimiento. Tal vez hubieran dado por hecho que nadie sería lo bastante insensato para llegar hasta allí.

A sus pies se encontraba el interior del cráter, una cuenca de cinco kilómetros de anchura protegida por todos lados por paredes de roca y kilómetros de desierto. Una vista impresionante, incluso bajo la escasa luz que arrojaba la luna. Qué sobornos o trucos había empleado el enemigo para apropiarse de aquella enorme fortaleza natural que se hallaba en el culo del mundo, era algo que no le preocupaba. Lo que le preocupaba era para qué la querían. En documentos públicos aseguraban que estaban construyendo «una reserva natural y hotel de vacaciones», pero allí había muy poca naturaleza que conservar. Toda la vida, en aquel lugar, había quedado destruida por un meteorito que había caído hacía miles de años. Y en cuanto a lo del hotel, lo cierto es que para la mayoría de los turistas el cráter quedaría completamente fuera del alcance.

Entonces, ¿por qué estaban allí? ¿Qué clase de actividad nefanda requería de una localización tan grande y remota como aquella?

Llevaba meses intentando responder a esa pregunta cuando llegó hasta ella un rumor sobre un programa de cría secreto y tecnológicamente muy avanzado. El rumor sonaba muy rebuscado, sí. Pero cuando se refería a ellos, no había nada que fuera demasiado rebuscado para ser verdad. Sus colegas le habían pedido que tuviera mucho cuidado, pero ella sentía que no tenía elección: tenía que investigar.

Se llevó al ojo una mirilla y observó a lo lejos. Las fotos de satélite que había examinado antes de su viaje debían de ser más antiguas de lo que pensaba. O eso, o se habían dado muchísima prisa en construir. Las luces revelaban al menos tres edificios más de los que recordaba. Y estaba casi segura de que aquel lago no estaba antes allí. Por no mencionar todos aquellos árboles. Decenas de miles, parecía. ¿De dónde sacaban el agua?, se preguntó. Menuda irresponsabilidad medioambiental. Era como si intentaran crearse su propio ecosistema tropical en medio de un desierto.

Miró su reloj de pulsera. Tenía que bajar allí, inspeccionar el lugar, colocar las cámaras ocultas y los sensores de contaminación química, y después volver a subir, todo antes de que se hiciera de día. Quedaban menos de tres horas...

¡IIIIYEJIRR! Un chillido horrible atravesó el silencio.

«¿Qué demonios...?».

Se quedó parada un momento, y volvió a oírlo. ¡IIIIYEJIRR! No era un grito humano; ni se parecía al grito de ningún animal que hubiera oído nunca. Sin embargo, era un grito de angustia..., de eso estaba segura.

Sonaba muy cerca, pero no hubiera sabido decir de dónde procedía exactamente.

Con cautela, caminó un poco, mirando arriba y abajo en las rocas que la rodeaban. No vio señales de vida, ni siquiera un hierbajo. Tal vez la criatura se encontraba más lejos de lo que le había parecido.

Estaba a punto de abandonar la búsqueda cuando volvió a captar su atención un nuevo sonido. Esta vez era más suave, sibilante. Y procedía justo de debajo de ella.

Repentinamente nerviosa, encendió su linterna.

Y entonces lo vio, allí abajo, a poco más de un metro, atascado en una grieta. Sus ojos amarillos miraban, sin pestañear, el haz de luz de la linterna. Tendría el tamaño de un perro pequeño o tal vez de un búho muy grande. Y sus alas y cola estaban enmarañadas, así que lo que realmente semejaba era un murciélago atacado por una culebra.

Y, sin embargo, no había posibilidad de error: no podía ser otra cosa más que lo que era. Muda de asombro, observó a la criatura.

O sea que los rumores eran ciertos. Eso era lo que sospechaba y, sin embargo, otra cosa muy distinta era verlo en la realidad.

¿Cómo podía algo ser al mismo tiempo tan feroz y tan frágil, tan terrenal y tan de otro mundo?

¡IIIIYEJIRR!, volvió a chillar el animal, abriendo la boca para mostrar varias filas de dientes afilados. Ella retrocedió un paso. No sabía si el chillido era una furiosa advertencia o un ruego desesperado, pero en cualquier caso la criatura parecía muy peligrosa.

Lentamente, volvió a asomarse. Una de sus alas estaba malherida. Y, casi con seguridad, tenía huesos rotos.

No podía ser muy viejo. Más bien parecía un bebé.

Sin ayuda, seguramente moriría allí donde se encontraba. Pero ¿cómo podía ayudarle?

Tenía un botiquín, por supuesto, pero no estaba muy segura de que las medicinas humanas surtieran efecto en animales de cuento de hadas. Y tampoco lo estaba de poder sacar a la criatura de aquella grieta sin que esta a su vez le sacara los ojos a ella.

Tenía que ganarse su confianza. Pero no tenía tiempo para nada.

—¿Tienes hambre? Espero que no seas alérgico a los frutos secos —susurró, metiendo la mano en la mochila para sacar el trocito que le quedaba de barrita energética—. En condiciones normales, no le daría comida de máquina a un animal salvaje, pero aquellas no eran precisamente condiciones norm...

Sus palabras quedaron interrumpidas por un rugido indudablemente originado por una máquina. Al levantar la vista, vio un helicóptero que iba recto hacia ella.

Lanzó una palabrota en voz baja.

¿Cómo podía haber sido tan descuidada? En su preocupación por la criatura herida, se había olvidado de permanecer oculta.

Para entonces el helicóptero estaba parado en el aire delante de ella, a baja altura. Parecía brillante de puro nuevo: un helicóptero que uno esperaría ver transportando ejecutivos a un rascacielos de oficinas antes que patrullando en el desierto. Excepto, desde luego, por el armamento que sobresalía a cada costado del helicóptero. Si se trataba de un helicóptero para ejecutivos, serían ejecutivos en zona de guerra.

Dudó, sin saber qué hacer. La cornisa donde se había puesto a cubierto antes difícilmente la protegería de aquellos cañones. Tal vez debería correr saltando hasta el lado exterior del cráter y descender por las rocas, confiando en poder despistar a sus perseguidores. Repasó mentalmente lo que llevaba en la mochila: tenía cuerdas y garfios, además de bengalas que podían proporcionarle un momento de distracción...

No, era demasiado tarde. Solo un mago podría desaparecer lo suficientemente rápido. Ella tenía muchas habilidades, pero desvanecerse en el aire no era una de ellas.

Además, si ellos le disparaban a ella y accidentalmente le daban al bebé dragón, no se lo perdonaría nunca.

El reflector del helicóptero le dio en los ojos, cegándola temporalmente. La voz del piloto atronó por encima del estruendo de las paletas del rotor:

—¡Pon las manos en la cabeza y no te muevas!

Acorralada, hizo lo que le mandaban.

Pensó en las diversas mentiras que había contado hasta entonces. Ninguna de ellas parecía valerle para explicar por qué se había infiltrado en una reserva natural a medio construir en mitad de la noche, vestida como una tortuga *ninja*.

Mientras sus ojos se adaptaban a la luz, el helicóptero aterrizó delante de ella en la pequeña meseta, levantando arena en todas direcciones.

Una mujer se asomó por el lado del copiloto, y su cabello rubio platino brilló en la oscuridad.

—¡*Mon Dieu!* ¿Esa no será la que me está pareciendo? —Su pálida faz mostraba solo una levísima sorpresa—. Han pasado siglos, querida, pero esas orejas puntiagudas no se me despistarían en ninguna parte. Qué amable por tu parte el visitarnos, Cassandra...

Las orejas puntiagudas de Cass temblaron alarmadas al oír su nombre. Había pasado una década larga desde la última vez que oyera aquella voz chillona. Y, sin embargo, de repente sintió como si volviera a ser una jovencita, atrapada para siempre en las garras de la señora Mauvais.

Capítulo 2

La vista desde la Peña de la Nariz

Aunque situado en una isla, y por tanto, por definición, rodeado de agua, el campamento de verano de Clay, el Rancho de la Tierra, estaba encajonado en un valle, con montañas que lo separaban por todos lados del océano. Si uno quería echar un vistazo al mar, el punto más cercano para hacerlo era la Peña de la Nariz, una colina rocosa llamada así por cierta formación geológica en forma de nariz que había en lo alto. La Peña de la Nariz era empinada y resbaladiza y, estrictamente hablando, los campistas no podían trepar a ella (algo a lo que llamaban «rascarse las narices») sin un permiso especial. Pero era un secreto a voces que Clay la escalaba cada día, al alba, en veinte minutos, y que normalmente regresaba cuando el sol ya se había elevado un cachito en el cielo.

Aquella mañana, como la mayoría de las mañanas, estaba sentado a horcajadas sobre la gran probóscide rocosa, mirando al horizonte. La Isla de Price era el emplazamiento de un volcán, el Monte de la Fragua, que regularmente arrojaba humo al aire y cubría la isla con una capa de nieblánica (niebla volcánica). Últimamente el volcán había estado especialmente activo. El resultado era que a Clay le resultaba difícil ver gran cosa.

Aun así, muy a menudo, algo le llamaba la atención: una nube oscura, alguna gran ave marina, una sombra en el océano... Y entonces se ponía de pie, con gesto expectante, solo para volver a sentarse un instante después, decepcionado.

Allí cerca, estaba acostada una llama con las patas remetidas debajo del cuerpo, de manera que casi parecía una segunda formación rocosa, más pequeña. La llama nunca se movía de su sitio, pero cada vez que Clay se levantaba, la llama negaba con la cabeza, como si le disgustara el comportamiento de su compañero humano.

—Ya sé, *Cómose*, que piensas que estoy completamente loco —dijo Clay, después de ver a la llama moviendo la cabeza con especial vigor—. Pero te juro que *Ariella* va a volver —dijo, y concluyó diciendo en su pobre español—: «El dragón venir aquí».

La llama, cuyo nombre completo era *Cómosellama* y cuya lengua materna era el español, miró a Clay con escepticismo nada disimulado.

—¿Y qué pasa porque haya estado ausente más de un año? Para un dragón eso no es más que «uno minuto» —prosiguió Clay intentando hablar en el poco español que había aprendido en el instituto.

La llama resopló displicente.

—Es verdad —insistió Clay—. Tienen una noción del tiempo completamente distinta.

La llama bostezó y mordisqueó una solitaria flor silvestre.

—Admítelo: tú no quieres que vuelva *Ariella*. —Clay miró a *Cómose*, retando a la llama a que se lo negara.

La llama miró atrás significativamente.

—¿¡Qué!? Los dragones no comen llamas —protestó Clay—. Y, bueno, vale, aunque lo hicieran, *Ariella* sabe que tú eres amiga mía. *Ariella* nunca te comería a ti.

Cómose olisqueó y se volvió.

—Vamos, amiga mía. Tú sabes que no quiero decir eso. Estoy seguro de que estás riquísima... Bueno, da igual. No voy a volver a «hablar con tú».

Al lado de Clay había un viejo libro, con una piedra pequeña puesta encima para sujetarlo al suelo. Encuadernado en una piel dura y escamosa que había amarilleado con los años, el libro se llamaba *Secretos del Occulta Draco* o *Memorias de un domador de dragones*.

Lanzando un suspiro, Clay retiró la piedra. Inmediatamente, el libro se abrió, se cerró y se volvió a abrir, con las páginas pasando ruidosamente. Antes de que el libro pudiera escaparse volando, Clay lo agarró con firmeza, y las páginas se asentaron.

Ya se había leído el libro entero tres veces, pero había un pasaje en particular al que seguía volviendo:

«No dejes brincar a un dragón cuando estás sobre él o dejarás los sesos en el otro sitio».

¿Qué tipo de brinco? ¿Simplemente un salto o algo más? Y ¿qué «otro sitio»? ¿El otro sitio con respecto a qué? Los monitores del Rancho de la Tierra hablaban a menudo de cierto misterioso y poderoso «Otro Sitio»... (Otro Sitio con mayúsculas) término con el que se referían, por lo que Clay podía entender, al lado mágico del mundo. Una especie de cuarta y mágica dimensión. Pero parecía raro que un tipo que había escrito hacía más de cuatrocientos años se tragara el mismo tipo de chorradas místicas que los monitores del campamento hippie de Clay. Y aunque los dos «Otros Sitios» fueran el mismo, ¿qué tenía eso que ver con los dragones?

Las reflexiones de Clay se vieron interrumpidas por un potente sonido como de escupir: *Cómose* trataba de llamar su atención. Puesta en pie, y aparentemente no muy contenta sobre el particular, la llama movía la cabeza de arriba abajo para señalar el horizonte.

Clay entrecerró los ojos para aguzar la vista. El viento había cambiado de dirección, y se estaba llevando la mayor parte de la nieblánica de aquella parte de la isla, y ahora el sol de la mañana se reflejaba deslumbrante en el agua. Era tan brillante que apenas se podía mirar hacia allí, pero en el medio, justo debajo del sol, había una pequeña mancha oscura. No era mucho más que un punto, pero la forma de las alas era inconfundible. A lo lejos, sobre las aguas, algo... (algo grande) venía volando hacia ellos.

—¡No es posible! —El corazón de Clay palpitó de emoción—. Quiero decir... ¿realmente crees que...?

Sin responder y con el deber cumplido, la llama se volvió a sentar.

Con la mano en la frente, Clay trató de aguzar la vista, esperando ver si aquel objeto volador desconocido era realmente *Ariella*.

Un momento después, dejó caer los ojos y los hombros. No era un dragón: era un avión.

«Vaya», pensó Clay con amargura.

Clay no estaba realmente seguro de volver a ver a *Ariella* algún día, lo único que tenía era una leve esperanza. Es verdad que él había rescatado a *Ariella* el verano anterior, cuando el dragón estaba encadenado dentro de un contenedor marítimo y a punto de ser transportado en barco como un animal de circo. Pero la orgullosa criatura había dejado claro que aquel breve episodio no significaba que fueran amigos en ningún sentido que pudiera comprender un simple humano. Después de aquello, *Ariella* apenas se había despedido, mucho menos dicho nada sobre volver a la Isla de Price. Y, sin embargo, durante unos preciosos minutos, a Clay le había sido concedido volar en el lomo de un dragón, con mucho la mejor experiencia, la más emocionante (y también la más aterradora), de su vida. Unido al dragón, él se había sentido en armonía consigo mismo por primera vez en la vida. No podía soportar la idea de no volver a vivir nunca más aquella experiencia.

—¡Uuuh!

Clay miró detrás de él: su amiga Leira, que tenía un irritante talento para caminar sigilosamente, le acababa de dar un susto.

—¿Siempre tienes que presentarte así? —refunfuñó Clay.

—Mmm... Espera que piense... —Leira se quitó la gorra y se rascó su corto pelo rojo, fingiendo que estaba meditando la respuesta—. Sí.

Leira miró al cielo. El avión (un hidroavión) estaba dando vueltas a la isla, preparándose para amerizar en el agua superficial. En la distancia podían oír el zumbido de los motores.

—Supongo que te has dado cuenta de que Owen está en camino.

Clay movió la cabeza, malhumorado:

—Creí que no volvería hasta dentro de tres días.

Owen, el piloto del hidroavión, transportaba a los campistas entre la isla y el continente, y hacía viajes quincenales para llevar provisiones.

—Ya sé que es raro. Se supone que tienes que ir a verlo.

—¿Yo...? ¿Por qué? —dijo Clay, sorprendido.

Leira se encogió de hombros.

—Ni idea. Zumbo me ha enviado a buscarte... Bueno, no exactamente a mí, pero yo me he sumado por gusto.

Señaló detrás de ella, donde revoloteaba un pequeño enjambre de abejas. Las abejas se colocaron en el aire formando unas palabras:

CLAY EN TIPI YA

Ante los ojos de Clay, las abejas deshicieron la formación para formar una nube borrosa. Y a continuación volvieron a separarse para formar los signos de exclamación:

¡¡ !!

—¡Vale, vale, ya voy, tranquilas! —les gritó Clay.

—Eh, ¿te puedo preguntar algo? —le dijo a Leira cuando empezaban a bajar por la ladera.

Leira esbozó una sonrisita burlona:

—No, no pienso ser tu novia.

—En serio...

—Vale. ¿Qué quieres preguntar?

—¿Tú crees que *Ariella* volverá algún día? —Y señaló con un movimiento de la cabeza a *Cómose*, que caminaba delante de ellos con su andar lento y pesado—. Esa chica cree que estoy loco.

—No lo sé, Mowgli. Algunos pensarían que ya estás loco por el mero hecho de que hables con una llama.*

—No me digas eso. Y no me has respondido a la pregunta.

—¿Qué pregunta? Eso me recuerda una cosa: ¿no echas de menos nada?

—¿Qué me has afanado esta vez? —preguntó Clay, con recelo.

Leira era una carterista increíblemente hábil, que muy a menudo le robaba cosas a Clay, solo por divertirse. Sonrió con inocencia. Y le enseñó el *Occulta Draco*.

---

* Mowgli, como tal vez sepas, es el héroe de *El libro de la selva*, una colección de relatos escritos hace más de cien años por Rudyard Kipling, y hechos famosos en nuestros días por cierto emporio de dibujos animados. Mowgli es un niño salvaje que crece en la selva, hablando con los animales. Estoy seguro de que tu comportamiento es siempre perfectamente civilizado, pero si alguna vez cayeras, momentáneamente, en las malas maneras, es posible que un severo adulto te preguntara si «te han criado los lobos», una referencia muy habitual a Mowgli que, sin duda, encuentran insultante los lobos.

—Este libro tiene unos cuatrocientos años, ¡y además es único en el mundo! —se quejó Clay, enfadado—. Si le pasara algo, ¿sabes lo que me haría el señor B.?

—Si su valor es tan incalculable, ¿por qué lo dejas tirado en esa roca? —preguntó Leira, entregándoselo.

—¿He hecho eso? —preguntó Clay haciendo una mueca—. Lo siento...

—Bueno, a lo mejor te lo he robado de la mochila —dijo Leira sonriendo—. Ya no me acuerdo.

Clay se rio.

—La verdad es que no me explico cómo puedo ser amigo tuyo...

Delante de ellos había dos viejas tapaderas de cubo de basura con asas de cuerda apoyadas contra una piedra. Sin decir nada, colocaron las tapaderas una al lado de otra y se sentaron sobre ellas.

—¿Listo...? —preguntó Leira.

—Ya sabes que sí —dijo Clay—. Vas a morder todo el polvo volcánico que voy a levantar.

Juntos, empezaron a descender por la ladera cubierta de piedrecitas, girando y rebotando en su carrera, y la llama trotando detrás de ellos.

Capítulo

3

La reunión en el tipi

¿Alguna vez te han llamado para que te presentes en el despacho del director, sin saber cuál era el motivo? (¿O tal vez sabiendo el motivo por el que te llamaban, pero sin saber cuál sería tu destino?). A Clay, me da no sé qué decirlo, lo habían llamado al despacho del director en más de una ocasión. En el Rancho de la Tierra el tipi del director era lo más parecido que había a un «despacho del director», así que Clay llegó al pie de la Peña de la Nariz con una ya conocida sensación de miedo.

Mientras Clay le entregaba el «trineo» de tapadera de cubo de basura para que lo devolviera a la cabaña, Leira le hizo prometer que después le contaría qué le había dicho el director.

—¡A lo mejor te expulsan por fin! —dijo muy contenta.

Entonces se marchó corriendo, y las dos tapaderas de cubos de basura, que llevaba colgadas a la espalda, iban chocando una contra la otra y sonando, porque eran de lata.

¿Había hecho últimamente alguna travesura?, trató de recordar Clay... La mañana anterior había faltado a la sesión de arranque de malas hierbas, pero era normal que todo el mundo hiciera eso alguna vez, ¿no? Y luego le reprendieron por echar virutas de chocolate en las gachas de avena, pero tampoco podían esperar que nadie sobreviviera alimentándose exclusivamente de la dieta del campamento, a base de semillas y coles. El día anterior había pasado en su monopatín por encima de las mesas de picnic, y eso era una falta más grave, sin duda, pero ¿era lo bastante grave como para que lo mandaran a casa? No cuando todo el mundo, incluidos los monitores, se habían reído y aplaudido. Y además el monopatín lo había hecho Pablo, no él.

Parecía mucho más probable que alguna emergencia del tipo que fuera hubiera hecho que Owen volviera a la isla. ¿Les habría ocurrido algo a los padres de Clay? ¿O a su hermano? Sí, decidió Clay, tenía que ser su hermano. Su hermano, el hipocondriaco hiperprudente.* A pesar de (o tal vez a causa de) sus excesivos esfuerzos por hacer las cosas de una manera segura, Max-Ernest siempre había sido proclive a los accidentes. Por la imaginación de Clay

---

* No hace falta decir que yo... Esto, él, Max-Ernest, podría no estar de acuerdo en esa definición suya como hipocondriaco hiperprudente. (Seguramente, él se verá a sí mismo más bien como un juicioso experto en medicina). Sin embargo, tengo que decir que me gusta la aliteración (o sea, el sonido repetitivo de las sílabas en «hipocondriaco hiperprudente»).

pasaron imágenes de camas de hospital y de salas de tanatorio.

La atmósfera del campamento no sirvió precisamente para animarlo. El Rancho de la Tierra estaba construido a las orillas del lago de lava, un lago largo, en forma de luna en cuarto creciente, que normalmente era de un brillante y tropical color turquesa; aquel día, sin embargo, la superficie del lago estaba oscura y fúnebre, y se movía despacio como si lo cubriera una capa de aceite. Al final del lago, desde el Monte de la Fragua se elevaba el humo en un flujo continuo, oscureciendo el cielo con aciagas nubes de color gris. Vastos flujos de lava, negros salvo en las orillas, que eran de un naranja ardiente, descendían lentamente por las laderas del volcán.

Mientras tanto, el arco iris del campamento, que siempre cambiaba pero hasta entonces siempre había estado presente, seguía apareciendo y desapareciendo, a veces desvaneciéndose durante varios minutos, para luego volver a aparecer más brillante que nunca. Según los monitores, el arco iris actuaba como una especie de barómetro natural que medía el nivel de magia en la atmósfera de la isla.* En aquel momento, ese nivel parecía muy inestable.

---

* Un barómetro mide la presión atmosférica, más o menos igual que lo hace la rodilla de tu abuelo, cuando este grita «¡Va a haber tormenta!» cada vez que va a haber tormenta. Tu abuelo no te está tomando el pelo, o no totalmente, porque los cambios en la presión atmosférica y las articulaciones de las personas mayores anuncian cambios de tiempo. Por otro lado, los cambios de presión mágica pueden anunciar casi cualquier cosa: actividad volcánica, dragones, giros en la trama...

Al meter a *Cómose* en el corral, a Clay le rodeó una gran variedad de pollos y pavos, cabras y ovejas, que balaban y chillaban y cacareaban al tiempo que le picoteaban o pegaban a Clay en las piernas y en otros sitios peores.

—¡Dejadme en paz! —les decía Clay—. Yo os doy de comer, ¿es que no os acordáis?

Un hombre vestido con un traje de apicultor, Zumbo, se dirigió a Clay desde el lado de fuera de la puerta del corral:

—¿Te han transmitido el mensaje?

—Sí, ya voy... ¿Sabe por qué se supone que tengo que ir a ver al señor B.?

Zumbo negó con la cabeza:

—Ni idea. Pero parece que es urgente.

Clay tragó saliva. No le gustaba aquello de que pareciera urgente.

A su alrededor, los animales seguían quejándose estrepitosamente, arañando las vallas y dando con las patas en el suelo.

—¿Qué dicen? —preguntó Zumbo.

—No lo sé... hablan todos a la vez —dijo Clay.

—Entonces diles que hablen de uno en uno —dijo Zumbo, como si esa fuera la solución obvia.

Zumbo era la única persona del campamento que podía comunicarse con los animales del mismo modo que lo hacía Clay, aunque en el caso de Zumbo esa habilidad se restringía a las abejas. Clay, por su lado, parecía capaz de comunicarse con la mayoría de las especies, al menos hasta cierto punto. Él simplemente hablaba y los animales le entendían. No sus palabras exactamente, pero sí la intención de lo que decía. Y pasaba lo mismo cuando los animales le hablaban a él. No es que pudiera hacer una transcripción palabra por palabra de los ladridos y los relinchos, pero siempre comprendía lo que el perro o el caballo intentaban decirle.

—Eh, chicos..., un poco de silencio, por favor —dijo Clay, en lo que esperaba que se entendiera como un tono severo pero no carente de amabilidad—. Tú —le dijo a una de las cabras—: ¿qué es lo que pasa?

La cabra empezó a balar acaloradamente, y Clay intentó concentrarse en ella y no hacer caso de los demás animales.

—Es el humo del cielo. No les gusta —le explicó Clay a Zumbo al cabo de un momento—. Sin embargo, el volcán siempre está echando humo, y es la primera vez que los veo así.

—Deben de notar algo distinto esta vez.

Con gran esfuerzo, Clay logró abrir la puerta del corral sin que se escapara ningún interno.

—¿Como qué?

—Tal vez una perturbación en la Fuerza.

Clay miró a Zumbo a la cara, que quedaba parcialmente oculta por la malla y el sombrero. ¿Bromeaba? Zumbo era el mago-yogui del Rancho de la Tierra. Recordaba mucho a Yoda, y a menudo citaba *La guerra de las galaxias* con total seriedad.

—¿Se refiere al Otro Sitio? —preguntó Clay, con vacilación.

—Tal vez —dijo Zumbo—. Randolph Price eligió esta isla hace años porque estaba seguro de que era un punto de fuerza. Es solo una suposición, pero esta última erupción del volcán podría no ser solo cosa de geofísica.*

Clay se esforzó por comprender.

—¿Entonces el Otro Sitio es subterráneo? Tal como hablan ustedes de él, yo había pensado que estaba detrás del cielo.

—¿Y quién dice que no sean posibles las dos cosas? El Otro Sitio está en todas partes y en ninguna. —Zumbo sonrió y señaló hacia arriba—. Hablando del cielo, parece que tu lugar de reunión viene a buscarte.

◆ ◆ ◆

Era la segunda vez aquella mañana que Clay veía algo grande volando hacia él, pero esta vez no se lo podía confundir con un dragón.

Pasando velozmente sobre el lago, en dirección al campamento, daba vueltas en un sentido y en el otro, y parecía a punto de volcar su carga en cualquier momento. Y sin embargo, de algún modo, ya fuera por la experta conducción del señor B. o por algún misterioso embrujo

* Como recordarán los lectores diligentes, Randolph Price era un pobre golfillo callejero que se dio de bruces con los secretos perdidos de los alquimistas. Cuando se hizo mayor, usó su conocimiento de la magia para especular en la bolsa, y al final amasó riqueza suficiente para comprarse su propia isla privada. Su historia se relata en *Mala magia*, novela en la cual se revelan todos sus secretos. Si la lees, te harás tan rico como él (tal vez).

equilibrador lanzado años atrás, el tipi logró descender del cielo sin que se le cayera ningún pasajero.

Cuando, finalmente, Clay consiguió llegar donde estaba el tipi, este se sostenía en el aire al final de la larga y estrecha playa del lago. El tipi seguía bordeando la orilla, como si dudara entre posarse o ir a darse un baño.

Owen asomó la cabeza por la portezuela de la tienda.

—Hola, Clay. Justo a tiempo... Eli, ¿cómo paro este chisme? —gritó por encima del hombro.

—¡Tú no paras nada! —respondió una voz desde dentro—. ¡Tú pilota tu avión, y déjame a mí el tipi!

Tras estas palabras, el tipi descendió casi, pero no completamente, al suelo, y después dejó de moverse. Incluso así, Clay casi se cae al entrar. Penetrar en el tipi era como subirse a una barca en medio de una mar brava.

—¡Siéntate, Clay, antes de que vuelques la tetera!

El piloto del tipi (que se llamaba Eli, aunque lo llamaban «señor Bailey» y también «señor B.», y era un hombre pequeño, rellenito, con enormes patillas de boca de hacha) puso una mano en la alta tetera de cristal que descansaba en la bandeja de latón que tenía delante. Dentro de la tetera permanecían a remojo flores, hierbas y otros elementos botánicos menos identificables.

Al otro lado del tipi, Owen, el piloto del hidroavión, estaba hundido en un montón de cojines, con una taza de té en la mano. Más joven, más alto y más delgado que el señor Bailey, tenía la cabeza afeitada y una perilla desaliñada. Maestro del disfraz, a Owen se le encontraba a menudo representando algún papel, ya fuera un mecánico de aviones con cola de caballo o un conserje cascarrabias, pero en aquel momento no parecía representar a nadie más que a sí mismo.

Clay eligió para sentarse un sitio vacío, desde el cual descubrió que tenía una incómoda vista de los peludos pies descalzos del señor Bailey.

—¿Es por mi hermano? —le preguntó Clay al señor B., incapaz de disimular su preocupación—. ¿Está bien?

—Tu hermano está bien —le tranquilizó el director del campamento.

Owen se rio.

—Al menos tan bien como de costumbre. Ya conoces a Max-Ernest... El caso es que he recibido un mensaje suyo. Bueno, una misión, en realidad.

—¿Una misión?

El nudo que tenía Clay en el estómago se aflojó (su hermano estaba vivo, al menos), pero fue enseguida reemplazado por una bola de bilis, producto de la indignación.

Durante el año que había transcurrido desde su primer verano en el Rancho de la Tierra, Clay había visto a su hermano mayor solo una vez. Max-Ernest había prometido hacer una visita a casa en primavera, y efectivamente la hizo, una visita de todo un día. Un día que Max-Ernest se pasó discutiendo al teléfono con su vieja amiga Cass, mientras Clay montaba en el monopatín dando vueltas y más vueltas al bloque, esperando que Max-Ernest le prestara alguna atención.

Cuando finalmente se la prestó, lo que hizo principalmente fue criticarle por no llevar casco... A lo cual Clay había respondido que ya tenía casi catorce años, y haría lo que le diera la gana... A lo cual Max-Ernest había respondido que uno se podía abrir la cabeza a cualquier edad... A lo cual Clay había respondido que tú no estás nunca por aquí cerca, así que ¿qué más te da si me abro la cabeza?... A lo cual Max-Ernest había respondido «Depende, ¿abrirse la cabeza es como abrir un regalo?». A lo cual Clay había respondido «¿Eh...? Eso no tiene gracia». A lo cual Max-Ernest había respondido: «Tienes razón, no la tiene. Abrirte la cabeza nunca tiene gracia... Y así quedó la cosa.

¿Y ahora Max-Ernest tenía narices para enviar a Clay a una misión?

—Eso es, una misión —dijo Owen—. Para la Sociedad Oterces.

La Sociedad Oterces: aquella era la organización secreta a la que habían pertenecido desde la infancia Max-Ernest y Cass. Max-Ernest siempre había mantenido a Cass alejado de sus actividades para la Sociedad Oterces. Ni siquiera le había explicado que «Oterces» era «Secreto» leído al revés. Clay había tenido que adivinarlo por sí mismo.

—Y en cuanto al SOS —añadió el señor Bailey—, es una articulación operativa, podría decirse.

SOS: Sociedad del Otro Sitio. Esos eran ellos. Es decir, el señor Bailey y los monitores y campistas del Rancho de la Tierra. El año anterior, al acceder a quedarse en el campamento, Clay había accedido a unirse al SOS, pero no había pensado en el SOS como el tipo de grupo que lo manda a uno de misión. No era una cosa como la CIA. Ni como la Sociedad Oterces, tampoco.

—Aquí... —dijo Owen.

Le entregó a Clay un folleto negro brillante. No había ninguna foto en la primera cara, solo las palabras:

Has ido de safari a Kenia y a pescar en Suecia
por un agujero en el hielo.

Has montado camellos en Egipto y elefantes
en la India.

Has nadado en México con los delfines
y en las Bahamas con los tiburones.

Ha llegado el momento de la última emoción.

Clay abrió el folleto poniendo mala cara. Dentro había una foto de ondulantes dunas de arena.

LA TORRE DE HOMENAJE
UNA AVENTURA DE VIAJE ÚNICA

—¿O sea que le ofrecen a la gente... volar en dragón?

Owen asintió con la cabeza.

—Es una especie de parque de animales salvajes. Oficialmente aún no se ha abierto. Y es supersecreto. El folleto se supone que es para atraer inversores. Tuvimos que sobornar a un agente de viajes muy exclusivos para conseguirlo.

—Pero ¿es de verdad? —preguntó Clay, confuso—. Porque no quedan dragones en el mundo, ¿o sí? Yo pensaba que *Ariella* era la única.

—Por lo que sabemos, *Ariella* es efectivamente la única... —dijo el señor Bailey—. Pero sí, la cosa es de verdad.

Clay miró al señor Bailey con alarma:

—Un momento, ¿quiere usted decir que tienen a *Ariella*?

—No se nos ocurre otra posibilidad —dijo el señor Bailey con todo el tacto posible. En el campamento todo el mundo sabía lo unido que estaba Clay al dragón—. Lo siento, ya sé que son malas noticias.

Con la cabeza dándole vueltas, Clay volvió a mirar el folleto:

—La Torre de Homenaje... es el sitio que los del Sol de Medianoche dijeron que estaban construyendo, ¿no? Un santuario de dragones o algo así...

—Eso suponemos —respondió Owen.

Clay apretó los dientes. Después de todo lo que él y sus amigos habían pasado para rescatar a *Ariella*, ¡el Sol de Medianoche había vuelto a capturar al dragón! Era demasiado terrible siquiera para imaginarlo. Y aun así, al mismo tiempo, muy dentro de él, apenas reconocible, se agazapaba un sentimiento de alivio. Tal vez, después de todo, *Ariella* no lo había abandonado; tal vez, simplemente, el dragón no había podido regresar.

—Al principio ninguno de nosotros creía que la Torre de Homenaje fuera real —dijo Owen—. Salvo Cass. Ella estaba convencida de que el Sol de Medianoche utilizaba a *Ariella* para criar más dragones, y quería saber por qué.

—A mí se me ocurren varias razones. —Clay pensó en una frase del *Occulta Draco:* «Aquel que domina a los dragones nos domina a todos».

—Estoy seguro de ello —dijo Owen—. Bueno, el caso es que ella se fue al Desierto de Kalahari a investigar.

—¿Y qué ha averiguado?

—No lo sabemos —dijo el señor Bailey—. Desapareció.

—¿Desapareció? —repitió Clay.

El señor Bailey asintió con semblante muy serio.

—Creemos que la han tomado de rehén, y queremos que ayudes a Owen a liberarla.

Clay pestañeó, sin podérselo creer. ¿Cass, una rehén? Parecía imposible. Era la persona menos atrapable que conocía.

Cass había sido una presencia constante en su vida. Cuando Clay era pequeño, aquella fanática de la supervivencia estaba siempre con el hermano de Clay, y siempre tenía tiempo para darle a Clay un par de consejos: cosas como la manera de hacer una brújula con un corcho y cinta de embalar, o de utilizar la cayena para detener una hemorragia.* Más tarde, después de que se fuera Max-Ernest, era ella la que le había hecho saber a Clay que su hermano se encontraba bien.

Y ahora querían que él fuera a rescatarla...

---

* A posteriori se veía que no era tan buena idea perderse en el parque, ni cortarse el meñique «solo por practicar», pero ¿cómo iba a saber Cass que intentaría esas cosas? Ella solo trataba de ayudar.

—¿Por qué yo?

Owen sonrió:

—¿Sabes de alguien más que pueda hablar con los dragones?

—¿Así que quieren sacar de allí a *Ariella* al mismo tiempo? —En algún rincón de su cabeza, Clay ya estaba planeando exactamente eso.

—Iba a ir yo mismo —dijo Owen—. Pero entonces pensamos: «No podemos rescatar a Cass y dejar allí al dragón. Es demasiado peligroso dejarlo en las manos del Sol de Medianoche. Y ¿quién sabe? Un dragón podría venirnos muy bien cuando estemos tratando de escapar de allí».

—¿Y mi hermano está conforme con esto? A él ni siquiera le gusta que monte en mi monopatín.

—Le dije que eras la única persona del mundo en quien confiaba *Ariella* —dijo el señor Bailey—. Tú eres el único que puede hacerlo.

—¿Por qué no va él? Espere, no me lo diga: es alérgico a los dragones —se burló Clay.

Owen se rio.

—Sería propio de él, ¿no? Pues no, es porque hay que pasar desapercibido, y como la señora Mauvais está allí, reconocería a Max-Ernest en un santiamén. ¿No te parece una buena razón?

Clay se encogió de hombros, pero tuvo que reconocer que sí, que aquella era una buena razón. La señora Mauvais era la jefa del Sol de Medianoche, una persona notoriamente cruel. Y sin edad, según las lenguas. Clay no sabía mucho de ella, pero sabía que su hermano había tenido más de un encuentro desagradable con ella a lo largo de los años.

El director del campamento sirvió una taza de infusión y se la entregó a Clay:

—Aquí tienes un sorbito de valor. La enfermera Cora la ha preparado especialmente para ti.

Clay sorbió la infusión con cautela. Conociendo a la enfermera Cora, «un sorbito de valor» no sería solo una expresión hecha. Efectivamente, la bebida le produjo a Clay una sensación de hormigueo que no podía atribuirse simplemente a la temperatura a la que se encontraba la infusión. De pronto, sintió que estaba dispuesto para lo que fuera.

—Bueno, ¿qué dices? —preguntó el señor Bailey—. Por supuesto, nosotros nunca te obligaríamos a hacer una cosa así si tú no quieres. Es una misión sumamente peligrosa para que la lleve a cabo alguien de tu edad. Los miembros del Sol de Medianoche son prácticamente vampiros, y durante uno o dos días estarás completamente en sus manos.

—De acuerdo —dijo Clay con firmeza—. Lo haré. «Pero no por Max-Ernest», añadió para sus adentros. «Lo haré por *Ariella*. Y por Cass».

—Estupendo —respondió Owen—. Sabía que podíamos contar contigo. —Cogió algo que tenía a su espalda—: Tu hermano me pidió que te diera esto.

—Eh... gracias —dijo Clay, tomando el regalo.

Era un casco verde fluorescente para patinadores, decorado con palabras en estilo grafiti en otros colores igualmente fluorescentes. Exclamaciones como «¡Radical!», «¡Peligroso!», «¡Alucinante!» se mezclaban con términos propios del mundo del monopatín como:

OLLIE

FAKIE

GRIND

¿De verdad a su hermano le parecía que a él le gustaría aquel casco? ¿Solo porque le gustaban los grafiti?

—Hay otra sorpresa esperándote ahí fuera —dijo el señor Bailey.

«Estupendo», pensó Clay. «Seguro que eran unas rodilleras. ¿O unas muñequeras?». Preparándose para lo que fuera, Clay abrió la portezuela del tipi.

Capítulo

4

El dragón en la yurta

—¡Brett! ¿Eres tú la sorpresa?

Brett sonrió viendo salir del tipi a Clay:

—Pensé que seguirías en ese barco —dijo Clay—. Con... ¿cómo se llamaba?... la capitana Abad.

—Allí sigo. No en este instante, pero sí la mayor parte del tiempo. ¿Te puedes creer que me hace limpiar las cubiertas y fregar platos? ¿A *moi*? ¿A Brett Perry? —Brett movió la cabeza como negando, aparentemente horrorizado y al mismo tiempo encantado—. Es como si hubiera ingresado en la Armada, solo que ni siquiera llevo traje de marinero.

Clay se rio:

—Está haciendo de ti un tipo duro.

El verano anterior, cuando Clay lo había encontrado en la playa, dejado allí por la corriente, Brett estaba medio ahogado y deshidratado, y Clay había temido por su vida, así que tal vez no era buena base para comparaciones, pero ahora sin duda tenía mucho mejor aspecto. Seguía llevando pajarita (su «marca de la casa», como él la llamaba), pero ya no era negra, sino morada.

—¿O sea que no has hecho las paces con tu padre? —preguntó Clay.

—¿Bromeas?

Era el padre de Brett el que lo había empujado por la borda. También era el padre de Brett quien había liderado la expedición del Sol de Medianoche para capturar a *Ariella*. No hace falta decir que a su hijo Brett no le caía muy bien. Ni a Clay.

—¿O sea que tu padre sigue con esos tipos del Sol de Medianoche?

Brett negó con la cabeza:

—No. Lo dejaron tirado cuando dejó de serles útil. Le está bien empleado. Creo que ahora está en México... —Brett dejó de hablar cuando el señor Bailey y Owen salieron del tipi—. En cualquier caso, estos señores dijeron que necesitabas ayuda. Y era buena excusa para tomarme un descanso.

—No estás aquí para tomarte un descanso —le corrigió el señor Bailey.

—Brett está aquí para entrenarte —le dijo Owen a Clay.

—¿Cómo...? —preguntó Clay, sin poder disimular su sorpresa.

—¿Qué pasa? ¿No me ves pinta de entrenador? —preguntó Brett riéndose—. Todavía no sabes cuál es el plan.

El plan, según resultó, era engañosamente simple: Clay y Owen entrarían en la Torre de Homenaje como invitados, rescatarían a Cass y a *Ariella*, y después escaparían a lomos de *Ariella* y en el avión de Owen, respectivamente.

El papel que tenía que interpretar Clay era el de un niño rico con ganas de ser el primero de sus conocidos en ver a un auténtico dragón vivo.

Owen haría el papel de un padre multimillonario que llevaba a Clay a hacer el viaje de su vida. Para asegurarse el sitio en la Torre de Homenaje, había hecho una contribución financiera de importancia para los «esfuerzos de investigación y conservación de dragones» que se suponía que llevaba a cabo la Torre de Homenaje.

Brett, que se había criado como el hijo auténtico de un auténtico multimillonario, tenía el resto del día para preparar a Clay para que pudiera interpretar su papel; a las seis de la tarde, el avión de Owen saldría para Namibia.

—... Por tanto, creo que deberías decir que vas a un internado —le decía Brett más tarde, cuando desayunaban junto al lago—. Tal vez a Saint Matthew's. Es un poco como Andover o Choate, pero algo menos conocido, así que sonará más realista.

—Eh... vale —dijo Clay, sin entender del todo.

Brett señaló con un gesto los frutos secos y las bayas que tenía delante:

—No me puedo creer que llamen desayuno a esto. Aquí coméis como los ratones. Afortunadamente, me he traído provisiones. —Con una sonrisa, se sacó del bolsillo un puñado de chucherías.

Clay se rio: aquel era el Brett que él conocía.

—Recuerda que no se trata solo de conocer nombres y lugares —dijo Brett masticando chocolate—. Sino que hay que saber qué se piensa de ellos. Como que Saint Bart's está bien, pero preferirías ir a Tulum. Para hacer esquí, tu familia tiene una casa en Aspen, pero es demasiado llamativo, y de todas formas tú prefieres Gstaad...

—¿Gastad...?

—Gstaad. G-S-T-A-A-D. Está en Suiza... Lo más importante es que todo te resulte *blasé*.

—Sí, claro, *blasé* —dijo Clay—. Oye, ¿puedes repetir lo que era «*blasé*»?

Brett lo miró:

—*Blasé* quiere decir *blasé*. Es como aburrido, pero con pose.

—Así que, básicamente, ¿debería parecer un capullo?

—Sí, básicamente...

—Pero tú no eres así —dijo Clay—. Bueno, claro que eres esnob, pero no exactamente un capullo.

—Puede que no, pero es que yo soy distinto. Yo soy, bueno...

Clay sonrió:

—¿Un *dork*?

—Prefiero *nerd*, si no te importa —dijo Brett enderezándose un poco—. Pero sí, si te empeñas... El caso es que trato de pensar cómo serías tú si fueras rico.

—¿Y sería un capullo?

—Digamos que pensarías que eras supercool. O por lo menos que nadie a tu alrededor era cool.

—Nadie a mi alrededor es cool.

—¿Te das cuenta lo que quería decir?

Antes de que Clay pudiera responder, Leira se acercó a Brett y le susurró algo al oído. Este asintió con la cabeza, sonriendo, y ella se marchó a toda prisa.

—¿Qué te ha dicho? —preguntó Clay receloso.

—Una sorpresa —dijo Brett.

—¿Otra?

—Creo que ha dicho que tengo que llevarte a algo así como la Gran Gurta.

—La Gran Yurta es como llamamos aquí a la yurta... grande —le explicó Clay.

—Muy original —comentó Brett.

◆ ◆ ◆

Había tres yurtas que formaban un triángulo en el medio del Rancho de la Tierra: la Yurta Arte, que era el estudio de artesanía; la Pequeña Yurta, la enfermería, más a menudo conocida como Yurta Pota; y la Gran Yurta, que era el comedor y el espacio multiusos del campamento.

Encima de la entrada de la Gran Yurta, un letrero de cartón escrito a mano decía:

BIENVENIDO A LA TORRE DE HOMENAJE

¡AQUÍ ESTÁN LOS DRAGONES!

Cuando llegaron, Clay oyó a alguien gritar: «¡Aquí está!» y de repente saltó un extraño ser mecánico hecho de madera y latas, arañando el aire con las patas y agitando su cola de goma de neumático. Soltó un rugido estridente, y de su boca salieron llamas (o simplemente chispas). Era un dragón robot. Clay comprendió inmediatamente que aquello era obra de su amigo Pablo.

—¡SORPRESA! —gritaron los compañeros de Clay desde dentro de la yurta.

—¿Es que me han preparado una fiesta de despedida? —preguntó Clay escépticamente mientras trataba de pasar por al lado del dragón sin quedar ni arañado ni chamuscado.

—No, tarugo, es tu sala de entrenamiento —dijo Leira, que esperaba dentro.

Una chica que se parecía mucho a Leira, pero con vestido y pelo largo, se acercó a ellos.

—Holá, monsieur, bienvenidó a la Toggé —dijo Mira, la hermana gemela de Leira, con un gélido acento francés. —¿Me pegmité que llame a alguién para que se haga cargó de su equipajé?

—Eh, no hace falta, gracias, Mira —respondió Clay, que no estaba preparado para serguirle el juego.

—No conoscó a ninguná Migá. Yo soy la señogá Mauvais, lidég del Sol de Medianoché —repuso Mira enérgicamente, y de hecho, al hablar, parecía poseída por el espíritu de la malvada anciana francesa. (En realidad, el acento francés de la señora Mauvais no era tan fuerte, pero no nos vamos a poner críticos).

Clay miró a su alrededor. Pablo acababa de meter el dragón en la yurta y lo estaba colocando sobre un estante elevado, desde el cual podría saltar a voluntad.

En el interior de la yurta colgaban más carteles hechos a mano, que identificaban arbitrariamente ciertas partes de la sala como RESTAURANTE, HABITACIÓN DEL HOTEL y ZOO DE DRAGONES.

—Perdonad, pero ¿esto no es un poco... ridículo? —dijo Clay.

—El señor Bayley nos dijo que te entrenáramos, y eso es lo que vamos a hacer —dijo Leira muy fríamente.

—Pog favog, sientesé —dijo Mira con su voz de señora Mauvais—. Supongó que tendrás hambré después del viajé.

Le mostró una mesa en el «restaurante» que parecía preparada para una cena de categoría, o la versión casera y campestre de una cena de categoría. Otro de los compañeros de cabaña de Clay, Kwan, le sonrió desde el otro lado de la mesa. A regañadientes, Clay se sentó enfrente de Kwan, después de quitarse la mochila y dejarla apoyada en una esquina.

—Bueno, tienes que saber qué tenedor utilizar primero, ¿vale? —dijo Kwan, mostrando el despliegue de cubiertos disparejos que había encima de la mesa.

—Vale —dijo Clay, resignado—. ¿Qué tenedor tengo que utilizar primero?

—¿Cómo lo voy a saber yo? —dijo Kwan riéndose—. Pero te puedo enseñar a afanar un cuchillo, si quieres.

—Se van usando de fuera adentro —interrumpió Brett, que observaba desde detrás de Clay. Señaló el tenedor que debería utilizarse primero.

—¿Eso de verdad importa? —se quejó Clay.

—¡Sí! —insistió Brett—. Los miembros del Sol de Medianoche son muy formales. Y parecería raro si no supieras esas cosas, siendo quien eres, incluso si vas de rebelde y piensas que las maneras son algo viejuno.

—¿Rebelde? Creía que yo iba de «*blasé*» —dijo Clay.

—Vas de rebelde «*blasé*».

—Voy de rebelde «*blasé*», muy bien. —Clay se cruzó de brazos, tratando de parecer un rebelde «*blasé*».

—Muy bien, amigos, a ver si blaseáis esto... —Kwan empezó a tirar cubiertos al aire. Estos giraron en círculos brillantes y, después, uno a uno, fueron desapareciendo en sus mangas, detrás de su oreja o en el aire.

—Y en último lugar, pero no por ello menos importante... —En la mesa solo quedaba un cuchillo. Con un movimiento del dedo, Kwan lo mandó al aire dando vueltas. Aterrizó entre sus dientes—. Siempre es útil llevar un arma con uno, ¿no? —dijo apretando los dientes.

Clay se rio.

—No estoy seguro de que un cuchillo de postre fuera de mucha ayuda contra el Sol de Medianoche.

Leira le lanzó a Kwan una mirada muy seria:

—Se supone que tiene que aprender cómo pasar por rico, no cómo divertir a los niños en una esquina de la calle.

Agarró a Clay del brazo y le hizo levantarse.

—Supongamos que ya has cenado, y ahora averiguas dónde tienen encerrada a Cass.

Leira señaló con el dedo a una puerta vieja que habían dejado apoyada contra la pared de la yurta. Tenía un letrero que decía:

CALABOZO: AQUÍ ESTÁ KASS

Clay negó con la cabeza:

—¿Por qué será que no creo que pongan un cartel como este? Y, por cierto, Cass se escribe con «c».

Leira puso cara de pocos amigos.

—Es solo para hacernos la idea. Ahora, aquí tenemos mi posesión más preciada —dijo ella, abriendo la mano.

—¿Un clip?

Ella le dirigió una mirada que significaba que no estaba de humor para bromas.

—Con esto, podrás abrir casi cualquier cerradura del mundo.

—¿Eso no tendría que ser misión de Owen? Yo soy el que se encarga de los dragones.

—Más valdrá que trabajéis los dos juntos.

Señaló el agujero de la cerradura de la puerta. Clay intentó meter el clip de varias maneras distintas, mientras Leira le daba instrucciones y sugerencias sobre ángulos y movimientos, y sobre la presión que debía ejercer. Pero por más que lo intentaba, no le servía de nada.

—Mmm... Tal vez sería mejor que probaras a robar la llave —dijo Leira con fastidio—. Vamos a ver cómo se te da lo del carterismo. Veamos: el arte del carterismo se condensa en las tres «des»: *despistar, desposeer y desaparecer.*

Tras obligarle a que le robara cinco o seis veces lo que ella llevaba en el bolsillo, siempre sin éxito, Pablo tomó el relevo en la sesión de entrenamiento. Se llevó la mano a la boca y se sacó el chicle que estaba mascando:

—Toma...

Clay puso cara de asco. (El pelo verde de Pablo y sus granos hacían el chicle aún menos apetecible).

—No, tío, gracias.

—Será mejor que lo cojas. Es chicle explosivo. Si estamos sin masticarlo durante más de treinta segundos, explota.

—¿En serio? Con asco, Clay cogió el chicle y se lo metió en la boca.

Pablo sonrió:

—En realidad, ese chicle es solo un simulacro. Pero tendré listo el auténtico antes de que te vayas, prometido.

Clay escupió el chicle a toda prisa.

—¿Qué te crees que es esto, una peli de James Bond? Yo no voy a tener que volar nada.

—Nunca se sabe —dijo Pablo con seriedad—. De entrada, las explosiones son mucho más rápidas que los clips. —Y miró con desdén el hierrecito que Leira tenía en tan alta estima.

—¿Alguien ha mencionado una explosión? Me encantan las explosiones.

Un chico algo mayor que ellos entró en la yurta, con una sonrisita desagradable en la cara. Era Sílex, la persona que peor le caía a Clay en todo el campamento, y seguramente en el mundo entero.

Sílex sacó el dragón robot de Pablo del estante y empezó a jugar con él.

—¿Este es el dragón del que he oído hablar? No me parece muy impresionante, la verdad. Ahora, si queréis ver como se echa de verdad fuego por la boca...

Mientras los demás miraban con aprensión, él se llevó un dedo a la boca y sopló en él. De repente, una llama brotó de la yema del dedo, como si fuera una vela.

Acercó la llama al dragón, y por un segundo este echó fuego por la boca. Y a continuación explotó en trocitos.

Sílex sonrió:

—¡Uy!

—Eres un... —Maldiciendo, Pablo apretó los puños y...

Jonah, el amigo de Clay, que estaba observando desde un lado de la yurta, agarró a Pablo.

—Déjalo. Ahora es un monitor, ¿recuerdas?

—¡Eso es verdad, que no se os olvide! —Riéndose, Sílex se acercó a Clay—. Eres tan bueno haciendo de rico como haciendo de domador de dragones.

—Tomaré eso como un cumplido.

—Pues no lo es —se burló Sílex—. ¿Te crees que con todo esto vas a estar preparado para enfrentarte al Sol de Medianoche? Van a merendarte vivo.

—Supongo que lo sabes muy bien —dijo Clay enfadado—. Tú eras un espía del Sol de Medianoche. ¿O te crees que nos hemos olvidado?

Clay dirigió a Sílex una mirada dura. Seguía sin comprender por qué el señor Bailey no había expulsado a Sílex del campamento después de conocer su traición. («Si yo expulsara a todos los que tuvieran un historial delictivo, no quedaría nadie», había explicado el señor Bailey, bromeando solo a medias. «El fundamento de este campamento consiste en darle a todo el mundo una segunda oportunidad»).

Sílex le devolvió la mirada a Clay. Por un momento pareció que iba a pegarle. O a dispararle una bola de fuego. Pero debió de pensárselo mejor.

Sílex vio la mochila abierta de Clay.

—*Secretos del Occulta Draco*, ¿eh? ¿Has vuelto a robarlo de la biblioteca?

Clay se encogió de hombros.

—Mira quién fue a hablar. —Sílex había robado aquel mismo volumen de la biblioteca el año anterior.

—Sí, sí, si hablara... —Sílex se dio la vuelta para salir, riéndose.

—Adiós —dijo Kwan a Sílex cuando ya se iba—. Chorizo.

Brett miró a Clay como examinándolo:

—¿Por qué lo admites? Tu problema es que eres demasiado honesto.

—Es una de sus peores cualidades —corroboró Mira—. Es un actor malísimo.

Con tristeza, Leira asintió moviendo la cabeza de arriba abajo.

—Esto va a ser un desastre.

—No podrá apañárselas él solo en esta misión —dijo Brett—. Si al menos pudiéramos ir con ellos.

—Gracias por vuestra confianza, tíos —dijo Clay, sin saber si tenía ganas de reír o de llorar.

Pablo pasó la mirada de Clay a los demás. Una sonrisa apareció en su cara:

—Me parece que tengo una idea...

◆ ◆ ◆

Después de su larga sesión de entrenamiento, Clay apenas tuvo tiempo de hacer el equipaje (en una bolsa muy moderna que le prestó Brett) antes de irse.

Mientras sus amigos se reunían a la orilla del mar para despedirse de él, vio cómo Owen pasaba cajas a su viejo y deslucido hidroavión por medio de una pequeña barquita de remos. Clay recordó la primera vez que vio el hidroavión de Owen, hacía más de un año; en aquel entonces se había preguntado si semejante trasto podría realmente volar. Ahora el avión parecía aún más cascado. ¡Y este vuelo sería muchísimo más largo que el vuelo de su casa al campamento!

—No es que sea un aparato chic precisamente, ¿no? —dijo Kwan, a su lado—. Sobre todo pensando que tú eres multimillonario.

Clay sonrió levemente. Hacía unas horas que su sentido del humor había empezado a flaquear, más o menos cuando se enteró de que iban a ir a enfrentarse con el Sol de Medianoche.

Pablo se acercó a ellos, escondiendo algo a la espalda.

—Tengo otra cosa para que te lleves.

Clay lo miró con precaución:

—¿Voy a necesitar otra cosa, además de chicle explosivo?

—¡Sí, esto! —dijo Pablo, enseñando lo que escondía: un gorro de lana negro. Pablo se lo encajó a Clay en la cabeza, alborotándole el pelo y tapándole los ojos.

—¡Eh! —protestó Clay—. ¿Te has olvidado de que voy al desierto? Allí hará como unos mil grados de temperatura.

—Es para tu personaje —dijo Brett antes de que Clay pudiera quitarse el gorro—. Ya sabes, el niño rico que trata de parecer un tipo de la calle. No se te ocurra quitártelo.

—Estupendo —rezongó Clay. El gorro ya le estaba picando en el cuero cabelludo.

Bueno, por lo menos es mejor que el casco que te dio tu hermano, le dijo una voz al oído.

—¿Qué dem...? —Clay se dio la vuelta para ver quién le había dicho eso.

La voz que le había hablado al oído se rio. Era Leira, pero Clay no la veía por ninguna parte.

Mira detrás de ti.

Miró a su alrededor, y vio a Leira, que se acercaba a ellos por la playa. Hizo un gesto con la mano, mostrando una gran caracola.

Pablo ha fabricado este megatransmisor de radio bidireccional de largo alcance con un trozo de cable y una vieja caracola —prosiguió, con la caracola delante de la boca—. *De esta manera, podremos ayudarte cuando estés allí, haciendo de hombre que susurraba a los dragones.*

—Para que puedas seguir riéndote de mí —dijo Clay, imaginando las largas horas que le quedaban por delante, con Brett y Leira riéndose de él en sus oídos.

Bueno, eso también.

Clay negó, moviendo su irritada cabeza.

—Muchas gracias. La verdad es que pensáis en todo.

—Hablando en serio, de esta manera yo podré hablar contigo y guiarte en tu primer robo importante —dijo Leira cuando llegó donde él estaba. Su voz le retumbó a Clay en los oídos—. Cuando necesites nuestra ayuda, no tendrás más que hablar. Si no nos oyes enseguida, eso significa que hemos posado la caracola por un minuto. Pero da un golpecito en el lateral del gorro, y sabremos que quieres hablar.

—Vale, ya lo capto —dijo Clay—. Pero ¿podrías dejar de hablar a la caracola? Me vas a levantar dolor de cabeza.

—Vale —dijo Leira, bajando la caracola a regañadientes—. ¿Qué más vas a llevar contigo? ¿Qué me dices del libro?

—¿El *Occulta Draco*? Sí, lo tengo.

Leira movió la cabeza lentamente de arriba abajo:

—¿O sea que no te da miedo que caiga en las manos equivocadas? No es que vaya a ocurrir, claro. Bueno, a menos que...

—... A menos que me atrapen —dijo Clay, terminando la frase.

—Eso es. Pero no va a ocurrir —añadió Leira, un segundo demasiado tarde.

Clay dudó, pensando en todos los secretos que se revelaban en el *Occulta Draco*. Además, había leído el libro tantas veces que prácticamente se lo sabía palabra por palabra.

—No, no, tienes razón... —dijo al final—. Eso sería una desgracia. Mejor lo devuelves tú por mí a la biblioteca.

—Clay metió la mano en la mochila y lo buscó—. Espera, ¿dónde está...? —Le dirigió una mirada a Leira.

Ella negó con la cabeza:

—Te juro que esta vez no lo he cogido yo.

Clay la miró fijamente. Leira estaba tan seria que él estaba tentado de creerla.

—¿Entonces quién? —preguntó Clay, con el pánico revolviéndole el estómago. No quería ni pensar en lo que podía suponer la pérdida del libro.

—No lo sé. ¿Estás seguro de que no te lo has dejado en ningún sitio?

Clay se puso a pensar, tratando de recordar la última vez que había visto el *Occulta Draco*.

—Sílex —dijo de repente.

—¿Qué?

—Lo ha cogido Sílex. Estoy seguro. Cuando entró en la yurta, yo tenía la mochila abierta. —Clay miró de un lado al otro de la playa. A Sílex no se lo veía por ninguna parte.

—¡Vamos, Clay, adentro! —gritaba Owen desde la barquita de remos que debía llevarlos hasta el hidroavión.

—¡Ya voy, solo un segundo! —respondió Clay.

—Recupéralo —le dijo a Leira en voz baja—. Por favor.

Ella asintió con la cabeza.

—Lo intentaré. Y, bueno, dame una voz cuando me necesites. —Señaló con el dedo el gorro de lana que Clay llevaba puesto—. Cualquier problema que tengas, estaré contigo.

—Gracias —dijo Clay, sinceramente—. Pero no te vuelvas tan maja conmigo de repente, que me estás asustando.

Mirando en torno a él por última vez, Clay empezó a caminar hacia el agua. Con o sin el *Occulta Draco*, había llegado la hora de partir.

Capítulo

5

Noticias del campamento

Clay empezó a sentirse agradecido al gorro de lana casi desde el momento en que se encontraron en el aire: porque casi apagaba el ruido del motor, además de los alarmantes ruidos metálicos que hacían traquetear el avión a intervalos frecuentes pero irregulares. Casi los apagaba, sí.

Miró al piloto:

—Eh, Owen...

Owen miró a su joven pasajero. En la frente de Clay había gotas de sudor.

—No te preocupes, compañero... Hace falta más que una turbulencia para dejar fuera de combate a este pequeñín. Pero si tienes que vomitar, hay un caldero detrás de tu asiento.

Sonreía para animarlo, pero Clay notó que Owen tenía los nudillos blancos. Estaba agarrando el volante del hidroavión con todas sus fuerzas.

—Lo que me preocupa es el Sol de Medianoche —dijo Clay—. Puede que suene completamente demencial, pero... no son vampiros de verdad, ¿no? Eso no es más que una manera de hablar, supongo...

Owen dudó, como si la pregunta de Clay no fuera tan completamente demencial.

—Bueno, algunos de ellos son realmente viejos... tienen cientos de años. Pero no son vampiros exactamente. Son alquimistas. El Sol de Medianoche es una búsqueda interminable de la poción que los haga vivir eternamente.

—Vale... —Tener cientos de años no era lo mismo que ser vampiros, pero no era muchísimo mejor—. ¿Y qué pasa con sus guantes blancos? ¿No se los quitan nunca?

—Nunca —dijo Owen—. Porque no importa lo jóvenes que estén de cara, las manos siempre muestran su verdadera edad.

Clay se estremeció, imaginando manos secretamente ajadas.

—Pero hazte un favor: actúa como si no te dieras cuenta de sus guantes. Preguntar sobre ellos es la manera más rápida de conseguir que te arranquen la cabeza.

—¿También hacen eso? —preguntó Clay, bromeando (más bien).

Owen se rio.

—Bueno, puede que no literalmente. —Alargó la mano y le dio un golpecito a Clay en el hombro—. Mira, no sé de qué te preocupas, pero estate tranquilo. Todo irá bien. Tú salvaste a *Ariella* ya una vez, ¿no?

Clay intentó devolver la sonrisa, pero entonces se encontraron con las peores turbulencias, y decidió quedarse callado para tratar de retener el almuerzo que había ingerido antes de salir.

◆ ◆ ◆

Clay se despertó de un sobresalto y vio que tenía la barbilla llena de baba y que el sol asomaba por el horizonte. Bajo ellos, el oscuro océano había quedado reemplazado por el desierto bañado por el sol.

—Buenos días, y bienvenido a África —dijo Owen—. Ya estamos sobrevolando el Kalahari. No nos quedan más que unos veinte minutos.

Pasaban por encima de barrancos recortados y de amplias mesetas desérticas. Tras un barranco especialmente impresionante, una bandada de pájaros apareció a un lado del avión. Clay los observó por un momento. Más que volar en una dirección, en formación de V, los pájaros descendían en picado trazando erráticos círculos.

—Eso... ¿es normal? —preguntó Clay.

Owen frunció el ceño:

—Creo que no.

—Parecen perdidos.

—Puede que a su cerebro le haya afectado el sónar del avión. O un cambio de los campos magnéticos.

«Tienen miedo», pensó Clay mientras los pájaros se perdían de vista.

Owen señaló algo a través de la ventanilla delantera:

—Ahí... ahí es donde van.

Clay miró al desierto. Distinguió con dificultad, cerca del horizonte, un cráter. Desde aquella distancia, el anillo gigante de roca parecía una rosca de botella caída en el suelo.

Clay sintió un chisporroteo en los oídos. Agarrándose el gorro de lana, oyó la voz de Leira que le gritaba:

¡Clay, Clay! ¡Responde, Clay!

—Te oigo —dijo él, haciendo un gesto de dolor—. No tienes que gritar tanto.

Es el Monte de la Fragua, dijo ella, casi sin respiración. *Ha entrado en erupción*.

—¿Y cuándo no está en erupción?

Esto es distinto. Leira hablaba tan seria que no parecía ella. *Tendrías que verlo. Es como un géiser. Y la lava se dirige hacia el campamento. Bueno, ya sabes cómo son los flujos de lava: no exactamente rápidos. Pero, aun así, parece que vamos a tener que evacuar.*

—¿Evacuar?

El señor B. dice que tenéis que interrumpir la misión y regresar. Inmediatamente, porque necesitamos el avión.

—¿Y no podéis escapar en el tipi?

¿Te crees que esa cosa podría cruzar el océano volando?

Owen cogió a Clay por el hombro:

—¿Qué sucede?

—Quieren que regresemos. —Clay le explicó a Owen lo que le había dicho Leira.

Owen soltó entonces una ristra de palabrotas que no repetiré aquí, y después la interrumpió de repente.

—Bueno, supongo que no tenemos elección, ¿verdad?

Clay miró el cráter, que se iba haciendo más y más grande delante de ellos. Hacía un momento estaba aterrorizado ante la perspectiva de vérselas con el Sol de Medianoche. Ahora se encontraba inesperadamente decepcionado por la cancelación de la misión.

Más que decepcionado. Destrozado.

—¿Tenemos que regresar los dos? —preguntó.

—¿Eh? —dijo Owen.

¿Eh?, dijo Leira por el gorro de lana.

Clay apretó los puños y se sentó muy erguido.

—Quiero quedarme en la Torre de Homenaje, aunque sea solo.

—¿Me estás pidiendo que te deje aquí solo? —preguntó Owen, sin poder creérselo.

Clay asintió con la cabeza.

—Pero yo no estaré solo, ahí está el caso. Cass y *Ariella* están ahí. Y si yo no los saco de ahí, ¿quién va a hacerlo?

—De eso nada —dijo Owen—. Tu hermano me mataría. Y no digamos el señor Bayley.

—Diles que salté del avión antes de que pudieras impedirlo. Además, si de verdad necesitan evacuar el campamento, yo solo serviría allí para ocupar más espacio.

—¿Te crees que estaba bromeando con lo del Sol de Medianoche? Estas personas..., bueno, esto no es como pasar una noche en casa de la abuelita.

—Lo sé, no te preocupes... Todo lo que tengo que hacer es liberar a *Ariella*, y entonces no me pasará nada —dijo Clay, esperando dar la impresión de una confianza que realmente no sentía—. En cuanto el dragón esté libre, nadie podrá hacerme ningún daño.

—Pero ¿cómo vas a volver? —preguntó Owen.

—A lomos de *Ariella*. ¿No era ese el plan?

Owen observó el desierto, que cada vez era más brillante.

—Si no, Cass podría morir ahí —insistió Clay—. Y *Ariella* también.

—De acuerdo —dijo Owen por fin—. Sé que luego voy a lamentarlo, pero vale.

—¿De verdad? —soltó Clay—. Quiero decir, ¡bien! Puedo hacerlo. Sé que puedo.

¿Estás seguro?, dijo Leira a su oído. *¿No deberíamos preguntarle al señor Bayley?*

—¡NO! —respondió Clay—. Quiero decir: no, por favor. Esta decisión es cosa mía.

Al otro lado de la línea hubo un silencio.

Vale, pero Brett y yo te acompañaremos las veinticuatro horas del día. No pensamos dejarte solo.

—¿No tenéis cierta erupción de la que preocuparos? —musitó Clay.

¿Qué?

—Nada.

Clay miró al asiento del piloto para ver si Owen estaba cambiando de opinión. Owen miraba por el cristal delantero, preocupado pero decidido.

Justo delante de ellos, el cráter se elevaba como una descomunal fortaleza en el paisaje del desierto. Su aspecto producía la impresión de que solo podía haber algo más difícil que entrar allí: salir.

◆ ◆ ◆

Un momento después, el avión empezó su descenso final.

—¿Qué es eso? —preguntó Clay—. No es una corriente en chorro, ¿verdad? ¿No se supone que son blancas y algodonosas?

Algo había aparecido enfrente de ellos: una brillante línea plateada, justo por encima del cráter. Parecía como un corte o raja en el cielo, como si alguien hubiera metido al cielo una puñalada con un cuchillo gigante, mostrando una secreta luz detrás del azul. A Clay casi le parecía ver un relámpago allí dentro. O tal vez estrellas parpadeantes. Alrededor de la línea, el aire temblaba de forma muy extraña.

—No lo sé —dijo Owen—. Pero creo que deberías estar más preocupado por lo que te espera en tierra.

—Sí, supongo —dijo Clay, con todo su cuerpo tenso.

Otros pájaros volaban alrededor del avión, describiendo azarosos remolinos. Solo había una cosa coherente en todos sus movimientos: todos los pájaros se alejaban del punto exacto al que se dirigía Clay.

Secretos del Occulta Draco
o
Memorias de un domador de dragones

Lo he dicho antes, y lo repetiré ahora: no se puede entrenar a un dragón. No se le puede enseñar a que cace como un perro, ni a que vuele como un halcón. Muchos son los cetreros que han intentado entrenar un dragón con capuchas y sogas, igual que entrenan a sus aves; y han pagado con la vida ese orgullo desmedido.*

En resumidas cuentas: los dragones no están a tu servicio.

Y todavía menos se hacen amigos tuyos. La amistad es un concepto que no tiene sentido para un dragón.

Y, sin embargo, entre nuestra especie y la de ellos es posible una relación de respeto y confianza mutua. En el *Occulta Draco*, a esta relación la llamamos «alianza». Como la alianza entre naciones, la alianza entre un dragón y un domador de dragones no debe romperse nunca, pues si se rompe el resultado no será más que muerte y destrucción.

---

* El orgullo desmedido, o sea, el orgullo excesivo, que normalmente lleva a la perdición, aparece muy a menudo en los malos de las novelas juveniles. Estos malhechores enguantados infravalorarán la inteligencia y la habilidad de un joven mago de pelo en punta, de una fanática de la supervivencia de orejas puntiagudas, o de un artista del grafiti y del monopatín, y merced a ese orgullo desmedido serán burlados libro tras libro, serie tras serie.

¿Cómo se establece una alianza? Bueno, no hay un método infalible para establecer una alianza con un dragón, como tampoco lo hay para establecerla con una persona. Todavía menos, de hecho. Dos personas pueden al menos tener intereses en común. Pero no hay nada en común entre dragones y personas, no lo olvidéis.

Sin embargo, hablando en general, podemos decir que se pueden establecer alianzas de estas tres maneras:

1. Obsequiándole con un regalo, por ejemplo comida u oro. Pero hay que tener cuidado: muchos presentes son interpretados por los dragones como insultos. No hagas nada que pueda sugerir que un dragón está necesitado o es avaricioso.
2. Haciéndole un favor, tal como recuperar un objeto de un lugar al que el dragón no puede llegar. Igualmente en este caso, hay que tener cuidado para no insultar a un dragón subrayando ninguna incapacidad por su parte.
3. Una canción. Aunque los dragones no pueden hacer música, a veces se quedan extasiados con ella. Sin embargo, asegúrate de que cantas la canción adecuada y de que la cantas bien. No hay nada más duro que las críticas de un dragón.

Capítulo 6

Una pista de aterrizaje en el desierto

Mientras Owen hacía descender el hidroavión sobre la estrecha pista de aterrizaje de la Torre de Homenaje, Clay seguía observando aquella extraña raya en el cielo. Parecía como una advertencia, como una de esas señales que dejan los vagabundos en las paredes de una granja: «¡Peligro! ¡Aquí vive mala gente... alejaos!».

Estaba a punto de decirle a Owen que no aterrizara, que había cambiado de opinión, cuando el avión golpeó el suelo con tal sacudida que Clay creyó que se iba a romper allí mismo en pedazos.

—¿Este chisme tiene ruedas? —preguntó Clay con la cara pálida.

—Claro que las tiene. Pero, bueno, está claro que le gusta más el agua —admitió Owen.

Mientras el avión seguía bajando la velocidad hasta pararse, Owen mantenía una mano en el volante y con la otra se quitaba la camisa. Cuando los motores dejaron de girar, él ya estaba transformado: llevaba un traje azul marino y gafas de sol, su cabeza calva brillaba como una bola de billar, y parecía listo para hacer de malvado multimillonario en una película policiaca.

—Ten: esto lo vas a necesitar más que yo. —Owen se quitó un reloj sumergible de la muñeca y se lo entregó a Clay.

—¿Qué es lo que hace? —preguntó Clay con la garganta seca—. ¿Explota?

—No, solo marca la hora —respondió Owen con una sonrisa—. ¿Listo para lo que sea?

—Sí..., por supuesto.

Haciendo un esfuerzo para moverse, Clay se echó la mochila a los hombros y se bajó el gorro de lana. Notó una gota de sudor que le corría por la espalda. Owen movió la cabeza como indicando la puerta:

—¡Ánimo y al toro!

Y diciendo esto, abrió la puerta, y los dos saltaron del hidroavión a la pista de aterrizaje.

Alguien había desplegado una alfombra roja para ellos, pero el hidroavión había parado lejos de ella, así que tuvieron que caminar incómodamente hasta donde empezaba la alfombra. El asfalto estaba tan caliente que hacía temblar el aire, y Clay notaba cómo se le derretía la suela de las zapatillas.*

---

* El aire parece temblar sobre las superficies calientes a causa de un fenómeno llamado refracción. El aire caliente es menos denso que el aire frío, así que la luz se acelera al alcanzar una superficie caliente y después asciende haciendo curvas. El resultado es esa especie de ondas que vemos. Esto sucede sobre el asfalto caliente o sobre la barbacoa, y también alrededor del abrasador aliento de un dragón.

Al final de la alfombra roja había una tienda de alegres rayas azules y blancas que habría pegado mejor en un mercado medieval que en una pista de aterrizaje. Estaba amueblada con un sofá y un ventilador de techo. Allí cerca había aparcados varios Cessnas brillantes, aviones privados que hacían que el hidroavión pareciera un juguete roto.

Mientras Owen y Clay se acercaban, una mujer joven que llevaba un vestido veraniego amarillo y un sombrero enorme salió de la tienda. Cuando levantó levemente el sombrero a modo de saludo, Clay vio que se trataba de Amber, la antigua novia del padre de Brett y enemiga juvenil del hermano de Clay. Clay solo la había visto rápidamente, y estaba completamente seguro de que ella no lo reconocería: ahora lo comprobaría.

—¡Hola, amigos! —dijo Amber pisando la alfombra roja y abriendo los brazos como si fuera una animadora deportiva—. ¡Bienvenidos al Kalahari!

Owen se adelantó a Clay y le tendió la mano a Amber:

—Yo soy Max Bergman —dijo con una voz brusca y segura que sugería que estaba acostumbrado a dar órdenes. A Clay le recordó por un momento al padre de Brett—. Y este es mi hijo, Austin. Gracias por la bienvenida.

—¡Gracias a ustedes por venir! ¡Y por esa generosa contribución a nuestra obra! Yo soy Amber, su... eh... digamos... coordinadora de actividades.

Amber soltó entonces una carcajada, como riéndose de sí misma. Sus brillantes dientes blancos parecían dignos de un anuncio de pasta dentífrica.

Clay respiró aliviado. Evidentemente, ella no lo había reconocido.

Pero, antes de que pudiera relajarse del todo, salió de detrás de la tienda un hombre grande y moreno. Tenía una barba grande muy poblada, el pelo rizado y salvaje, apenas mantenido a raya por un salacot, y estaba cubierto de la cabeza a los pies de polvo y arena. Parecía una criatura monstruosa salida del desierto, el primo africano del Abominable Hombre de las Nieves: el Abominable Hombre de las Arenas.*

—Perdonen mi aspecto tan poco elegante —dijo con brusquedad, sacudiéndose arena de los hombros—. El radiador del Land Rover ha estado dando guerra otra vez.

Amber sonrió con un poco menos de entusiasmo:

—Permítanme que les presente al miembro más importante de nuestra plantilla: el cuidador de los animales que tenemos aquí, y, claro está, vaquero de dragones: Vicente».

El peludo hombre de las arenas se levantó el sombrero. Indicó con un gesto de la mano el avión de Owen, más allá de la fila de Cessnas relucientes, que ahora estaba

* Primo a su vez del Pie Grande americano, el Abominable Hombre de las Nieves o Yeti, es una criatura de la criptozoología, el estudio de animales de mentira no confirmados tales como Pie Grande, el Monstruo del Lago Ness, el Chupacabras e incluso los dragones. Los avistamientos de esta bestia enorme, cubierta de pelaje blanco y con aspecto simiesco, se remontan cientos de años en el pasado, pero hasta el momento no ha habido ninguna confirmación ni explicación científica para el monstruo montañoso de las nieves. Aún hay menos investigación consensuada sobre el Abominable Hombre de las Arenas, que es completamente inventado.

cubierto de una capa de arena casi tan gruesa como la que cubría a Vicente.

—Lo mío son los halcones, más que los aviones, pero ¿eso no es un hidroavión?

Clay intentó no mirar a nadie. Owen se rio:

—¿No estará menospreciando a mi vieja *Tempestad*, verdad? En realidad —guiñó un ojo con astucia—, espero que no se lo cuente a los de mi oficina, pero hemos venido directos desde Fiji. Puede que no parezca gran cosa, pero esta viejecita sabe muy bien cómo darle vueltas a una isla. Además, no me gusta coger mi *jet* porque deja una huella de carbono equivalente a la de un *Boeing*.

Clay estaba muy impresionado con la actuación de Owen, pero Vicente no tanto, según parecía:

—Por supuesto —dijo, pasando la vista de Owen a Clay, con sus inescrutables ojos negros.

¿Qué decía el *Occulta Draco* sobre los halcones? Clay se preguntó si la experiencia de Vicente con las aves sería la razón de que lo hubieran contratado para hacerse cargo de los dragones.

Owen tosió:

—Bueno, lamento tener que interrumpir esta velada, pero tengo que... Justo antes de aterrizar he recibido una llamada telefónica muy inoportuna.

—No será una emergencia, espero —dijo Amber, abriendo los ojos con preocupación.

—Me temo que me acusan de abuso de información privilegiada. —Owen negó con la cabeza, con desdén—.

Hoy día todo el mundo piensa que eres un ladrón solo porque diriges un fondo de alto riesgo.

—¡Es espantoso! —exclamó Amber, chasqueando la lengua en señal de compasión—. Créame, aquí somos de mente abierta. ¿Verdad, Vicente?

Se volvió hacia Vicente en busca de apoyo, pero el halconero reconvertido en dragonero no dijo nada. Daba la impresión de que juzgaba que, seguramente, el sitio que Owen se merecía era la cárcel.

—Por desgracia, tengo que darme la vuelta para hacer un depósito —prosiguió Owen—. Pero Austin aquí presente, él..., bueno, lleva semanas ansiando hacer este viaje, y se le parte el corazón de pensar que tiene que irse. ¿Existiría alguna posibilidad...? Lamento preguntarlo, pero ya que estamos aquí...

—¡Por supuesto que puede quedarse! —dijo Amber—. ¡Aquí vivirá una experiencia que no olvidará nunca!

—Espera un segundo. —Vicente avanzó un paso, frunciendo el ceño—. Yo ya tengo un menor del que cuidar. Por no mencionar uno o dos dragones...

«¿Uno o dos dragones?», pensó Clay. ¿Sería solo una forma de hablar?

—No seas tonto, Vicente —dijo Amber—. Él no va a dar ningún problema. Además, no eres tú el que tiene que tomar la decisión, ¿a que no?

Vicente no dijo nada más, pero su mirada de enojo se volvió más intimidante. Clay tragó saliva, nervioso. Iba a tener que vigilar a aquel chaval.

Amber se volvió hacia Owen:

—Bueno, señor Bergman, me gustaría que pudiera quedarse con nosotros y evitar tener que declarar y todas esas cosas tan desagradables, pero no se preocupe por Austin. Vamos a pasarlo en grande.

Sí, en grande de verdad, se burló Brett a los oídos de Clay.

—Estupendo. —Owen se volvió para irse—. Volveré en cuanto pueda. —Entonces le dijo a Clay rutinariamente, por encima del hombro—: Pórtate bien. E intenta no arruinarme con la factura.

Le levantó un pulgar a Clay disimuladamente.

Clay tuvo el instinto muy fuerte de irse corriendo tras Owen, gritándole a su «papá» que había cambiado de opinión. Sin embargo, devolvió, débilmente, aquel gesto con el pulgar levantado, y se quedó donde estaba.

Amber se acercó sigilosamente a Clay.

—Bueno, habíamos pensado tomar una bebida en la tienda, pero ya que tu padre se va, ¿por qué vamos a esperar? ¡Vamos a los dragones!

Clay apenas prestaba atención, pero hizo esfuerzos por sonreír.

—Sí, claro, vale —dijo con todo el entusiasmo de que fue capaz.

—Ese es el espíritu —dijo Amber.

Un momento, ¿ha dicho dragones, en plural?, preguntó Leira, asustando a Clay al decir exactamente lo que él estaba pensando.

¿Eso quiere decir que han conseguido reproducir a Ariella?, preguntó Brett, muy sorprendido.

Clay oyó cómo volvían a arrancar, a lo lejos, los motores del hidroavión. Se volvió y vio que las hélices volvían a girar. Ya no podía echarse atrás.

Al otro lado de la tienda, un Land Rover clásico, de color arena, esperaba por ellos. El nombre de La Torre de Homenaje estaba dibujado en la puerta, junto con un logo muy fino que podría haber sido el emblema de una empresa de armas de alta tecnología o de una firma de seguridad multinacional.

Mientras Clay entraba en la parte de atrás, Amber se subía al asiento de delante, sujetándose el sombrero.

—¡A la Torre de Homenaje, Vicente! —gritó ella (obviamente lo dijo para provocar la emoción de Clay, ya que allí no parecía que hubiera ningún otro lugar al que ir).

Vicente arrancó el Land Rover pisando el acelerador. Clay trató de abrocharse el cinturón mientras dejaban el liso asfalto de la pista de aterrizaje para meterse por un camino de tierra que subía al cráter serpenteando por la ladera.

—Entonces, ¿cuántos dragones hay aquí? —preguntó Clay, inclinándose hacia Amber.

Ella lo miró por encima del hombro:

—¿En total...? —Amber contó con los dedos—. Nueve.

—¿¡Nueve!? —repitió Clay, incapaz de esconder su desconcierto.

Amber asintió con la cabeza, muy satisfecha.

—Sí. ¡Esta semana acaban de salir cuatro crías del cascarón! Te van a encantar.

—Vaya... eso es... alucinante —dijo Clay.

Nueve dragones. Nueve *Ariellas*. Era una perspectiva emocionante. Y sobrecogedora.

Capítulo

7

La carretera que lleva a la Torre de Homenaje

La estrecha y rocosa carretera doblaba una y otra vez en la subida, cada curva un poco más peligrosa que la anterior, hasta que Clay tuvo que cerrar los ojos. Aquello era peor que montar en el hidroavión de Owen. La única duda que le cabía a Clay era si vomitaría antes o después de que el Land Rover se cayera dando vueltas hasta regresar a la llanura desértica.

En el asiento de delante, Amber hablaba tranquilamente por un *walkie-talkie*. Entonces lo apagó y le sonrió a Clay:

—¡Lo siento! Ya sé que el camino es bastante malo, ¡pero te prometo que merece la pena!

Al final llegaron arriba, al borde del cráter. Tras ellos se extendía un desierto aparentemente interminable, pero dentro del cráter Clay vio una extensión de varios kilómetros de una verde selva. Unos pocos edificios sobresalían entre la exuberante vegetación, y también se distinguía una fila de tiendas. En el centro había un lago grande y brillante.

Si entrecerraba los ojos, casi podía parecerle que estaba en el Rancho de la Tierra. Había cierta semejanza en la disposición. Aunque allí no había arco iris, por supuesto. Era como si estuviera penetrando en una versión más oscura y misteriosa de su campamento de verano.

El Land Rover emprendió entonces un empinado descenso, cruzó un pequeño arroyo y siguió su sinuoso camino bajo las copas de los árboles, de las que colgaban lianas. Era como un bosque tropical.

Amber indicó con un gesto el follaje que los rodeaba:

—¿A que nadie diría que todo esto lo hemos plantado el año pasado?

Clay movió la cabeza hacia los lados en señal de negación. Efectivamente: si ella no lo hubiera dicho, él habría pensado que aquel verde exuberante llevaba allí desde siempre. La Torre de Homenaje era ya un lugar más raro que cualquier otro sitio en el que jamás hubiera estado... pero ¿cuántos cráteres en medio de un desierto conocía que hubieran sido transformados en una selva?*

—La idea era crear una isla en el medio del desierto —explicó Amber.

---

* La respuesta es que seguramente «ninguno», aunque los científicos construyeron una vez algo llamado Biosfera 2, un vivario, o sistema ecológicamente cerrado (todo lo que había dentro era reciclado y reutilizado), en el que ocho personas vivieron juntas durante dos años. El experimento fracasó cuando los habitantes empezaron a pelearse, cosa que no le sorprenderá a nadie que haya vivido alguna vez con otros seres humanos. Pero Biosfera 2 era un invernadero gigante, no un cráter, así que reconozcámosle al sol de medianoche el mérito de emprender algo nuevo. Aparte de eso de los dragones.

Clay asintió con la cabeza, preguntándose si la Isla de Price habría inspirado el diseño de la Torre de Homenaje. Al fin y al cabo, ese era el hábitat del dragón.

En cualquier caso, *Ariella* debía de sentirse allí como en casa, iba pensando Clay. Tal vez *Ariella* hubiera sentido ya la presencia de Clay. Intentó percibirlo con la mente, pero no sintió nada.

—Ya nos estamos acercando —dijo Amber.

Finalmente, se interrumpió la sucesión de enredaderas, helechos y bambú, y siguieron en el coche, pasando por debajo de un letrero en forma de arco decorado con el ya conocido logo. Era mucho más grande, y mucho menos hospitalario, que el letrero que los amigos de Clay habían pintado para él en el campamento.

LA TORRE DE HOMENAJE
SOLO VISITANTES AUTORIZADOS

Pero ¿cómo demonios iba a llegar hasta allí ningún visitante no autorizado?, se preguntó Clay. Y, sin embargo, Cass había sido una visitante no autorizada, ¿no? Y, en realidad, también él era un visitante no autorizado, solo que ellos no lo sabían. Por el momento.

Un poco después del letrero, el Land Rover se metió en el patio de un largo edificio en forma de U, con fachada de cristal transparente, laterales de piedra y en la parte de arriba una fila de almenas que semejaba uno de los lados de una cremallera.* Parecía un castillo medieval que hubiera sido partido por la mitad para dejar sitio en medio a un hotel moderno de lo más pitiminí.

En el centro del patio, dos enormes dragones se erguían en una fuente, con espuma en la boca. Se miraban uno al otro, preparados para matarse. Clay contuvo la respiración...

Entonces comprendió que los dragones eran estatuas, unas estatuas muy realistas. Y que la espuma no era más que agua.

Amber se rio con una risita tonta:

—Ya lo sé, a mí me engañan cada vez que los veo.

Aparcaron junto a la fuente, y Amber hizo una seña a Clay para que la siguiera.

—¿Y mi bolsa? —preguntó.

—¿Qué? Ah, no te preocupes. Gyorg se encargará.

Amber hizo un gesto a alguien que estaba detrás: un hombre bajo y musculoso, una especie de buldog (Gyorg, seguramente) había cogido ya la bolsa con el equipaje de Clay y la llevaba no se sabía dónde.

Brett recriminó a Clay hablándole al oído:

¿Pero qué te dije? Tú nunca te tienes que preocupar del equipaje en un sitio como ese.

---

* Las almenas son salientes que se recortan en lo alto de los muros de los castillos, torres de homenaje, torretas y castillos hechos con nieve. Las almenas permiten a los defensores de estos importantes edificios disparar flechas, verter aceite hirviendo o lanzar bolas de nieve a los enemigos, ya se trate de dragones, de visigodos, o de hermanos mayores, para después esconderse de su respuesta predeciblemente furiosa.

Clay saltó del coche antes de darse cuenta de que el patio seguía en construcción y por todas partes había charcos de barro. Un par de metros por delante, Amber hacía su camino por el terreno con la habilidad que le daba la experiencia. Intentó seguirla, pero las zapatillas se le hundieron en el barro, y se llenó de salpicaduras las perneras de los pantalones. Estupendo, pensó, dejaría huellas de barro por todas partes.

—¡Uy! —exclamó Amber, mirando hacia atrás y viendo lo que había sucedido—. No me he acordado de avisarte.

—No se preocupe, no pasa nada —respondió Clay, aunque él mismo estaba muy preocupado.

Y allí, esperando a la entrada del castillo, con unos prismáticos en la mano que iban montados sobre una manija como los impertinentes de la ópera, se encontraba una mujer a la que Clay enseguida reconoció como la señora Mauvais, aunque no la hubiera visto nunca.

Llevaba su perfecto cabello platino peinado hacia atrás, como apartándose de su perfecto rostro pálido pálido con sus perfectos labios rojos rojos, e iba vestida toda entera de blanco, salvo los zapatos de tacón dorados que resultaban completamente inapropiados al entorno, pero completamente apropiados a ella. Era la mujer más bella que Clay hubiera visto nunca. O lo hubiera sido de no ser por algo en la expresión (o en la falta de expresión) que le producía escalofríos. Una crueldad inhumana que podía percibir incluso a distancia.

¿O solo lo imaginaba, debido a todo lo que había oído sobre ella?

La mujer hizo un breve gesto con la cabeza ante los recién llegados, como una reina que recibiera a los soldados que regresan.

Y entonces ocurrió algo muy inesperado: esbozó una sonrisa. Al menos sus labios se curvaron hacia arriba de una manera que parecía amistosa. El resto de su cara no hizo movimiento alguno.

—El caballero Austin Bergman, supongo. —Miró a Amber como reprochándole algo—. No me advertiste de que nuestro nuevo pupilo fuera tan apuesto, querida. ¿Te lo guardabas para ti sola?

La señora Mauvais se volvió hacia Clay.

—No te preocupes, cielo. No sé qué te habrá dicho Amber, pero estamos encantados de tenerte con nosotros, con padre o sin él.

—Eso es justo lo que yo... —protestó Amber.

La señora Mauvais le hizo a Amber un gesto de despedida con la mano:

—Sé una chica buena y encuéntrame a Satya, ¿vale?

Poniéndose colorada, Amber se fue, tal como le mandaban.

—Perdona las obras —siguió diciendo con gracia la señora Mauvais—. Espero que estés de acuerdo en que tienes suerte de contarte entre los primeros que vienen a la Torre de Homenaje, pero eso, me temo, implica tener que encontrarse algunos cables por ahí sueltos. *Très désolée*.

Eso significa que lo siente mucho, le susurró Brett al oído. *Dile que «de rien»*.

—*De rian* —aventuró Clay.

Su intento con el francés pareció entusiasmar a la señora Mauvais.

—Hablas francés... ¡estupendo! Me atrevo a pronosticar que vas a encajar muy bien aquí.

Le hizo un gesto para que la siguiera al brillante vestíbulo de mármol de la Torre de Homenaje. Cuando entraron, la señora Mauvais chasqueó sus dedos enguantados por encima de la cabeza, y al instante aparecieron dos sudorosos camareros de uniforme, trayendo vasos de limonada con gas en una bandeja.

—Eh, gracias... —dijo Clay, cogiendo uno.

—Bueno, ¿qué te parece nuestro pequeño castillo? —le preguntó a Clay, que sorbía su limonada con agradecimiento—. Teniendo en cuenta que todavía lo estamos construyendo...

Clay contempló a su alrededor todos los detalles cromados y el mobiliario de cuero negro y brillante. Parecían una rara yuxtaposición con los tapices medievales que colgaban de las paredes, por no mencionar la armadura que hacía guardia junto a la puerta, pero ¿qué sabía él? Para él, la sala no parecía un castillo, ni siquiera un hotel, sino más bien un museo de arte. Desde luego, no le resultaba muy acogedora.

Dile que es bonito, le susurró Brett. *Pero que no se te note demasiado impresionado. Recuerda que has estado en sitios mejores.*

—Eh... es bonito. Ese es San Jorge, ¿verdad?, luchando con el dragón... —Clay señaló uno de los tapices.

—¡Vaya, pues sí, creo que es San Jorge! —dijo la señora Mauvais, y por su rostro pétreo pasó un atisbo de algo que parecía sorpresa.

¿San Jorge?, dijo Brett. *¿Cómo lo sabías?*

Que no te impresione tanto, dijo Leira. *Clay no conoce ningún otro caballero que luche contra dragones*.

Clay hizo una mueca de disgusto. Hubiera preferido que no hablaran tanto.

—El caso es que —prosiguió la señora Mauvais contemplándolo con curiosidad— dicen que esa espada que ves ahí es la de San Jorge. Se llama *Matadragones*. —Señaló con un movimiento de cabeza una vitrina que había en el centro de la sala—. Por supuesto, es improbable que San Jorge haya existido, pero la historia es bonita.

Sintiéndose sumamente incómodo bajo la mirada de la señora Mauvais, Clay examinó la espada. La hoja era larga y ancha y parecía muy pesada. La empuñadura había ennegrecido con el tiempo. En contraste a su reluciente entorno, la espada parecía triste, gris y bastante amenazadora. ¿Habría servido de verdad para matar algún dragón? Parecía lo suficientemente mortífera para ello.

—Y esto —dijo la señora Mauvais, conduciéndolo hacia otra sala contigua— es la Sala Ryū.

A diferencia del austero vestíbulo, la Sala Ryū estaba suntuosamente decorada con arte y artesanía asiáticas: alfombras de intrincados diseños, delicados jarrones y pantallas de seda. Había dragones por todas partes, pero a diferencia de los dragones voladores de los tapices, estos dragones eran principalmente criaturas en forma de serpiente, sin alas, como suelen ser los dragones del arte asiático.

—El Ryū, como sin duda sabrás, es el legendario dragón japonés —dijo ella, señalando un dragón en una de las pantallas—. Pero tenemos objetos de Corea, Malasia, China... Mira este jarrón de la dinastía Ming. —Señaló un gran jarrón azul y blanco en el que figuraban toda clase de animales de tierra, mar y aire—. Ahora, me pregunto si eres capaz de decir cuál de esos animales es el dragón.

Clay dudó. No veía ningún dragón.

—No importa... era una pregunta con trampa —dijo la señora Mauvais—. Todos son dragones. En la mitología china, los dragones toman la forma de muchos animales.

En medio de la sala había una barra de bar lacada en rojo y decorada con dragones dorados, así como un gran piano tan largo como una limusina.

Y ahora... Ya sé que estás cansado, pero me gustaría que conocieras a los demás huéspedes. No te preocupes, son pocos. Nuestro grupo es muy íntimo.

Sentadas junto a la barra había varias personas que vestían ropas que parecían más apropiadas para una noche en la ópera que para un día en el Kalahari. ¿Esto significaba que no iban a salir a ver a los dragones?, se preguntó Clay con preocupación. ¿O aquellas personas siempre vestían de aquel modo?

La señora Mauvais le hizo un gesto con la mano a uno de los huéspedes.

—¡Charles, querido! ¿Dónde te has escondido? Debes de haberte escapado mientras yo me dedicaba a mis tratamientos matutinos.

Charles, un hombre engoladamente apuesto, con pelo engoladamente oscuro y engoladamente ondulado, se levantó del asiento que tenía junto a la barra y se fue hacia ellos, tan desenvuelto como si él, y no la señora Mauvais, fuera el amo de todo aquello. Llevaba un traje blanco recién planchado y, en lugar de corbata, un pañuelo de seda color borgoña alrededor del cuello. Como la señora Mauvais, Charles calzaba guantes blancos, aunque los suyos no eran tan largos. Clay intentó no quedarse mirándolos.

—*Chère Antoinette* —dijo engoladamente—, no me reprendas por no ser capaz de resistirme a tus encantos.

—Admítelo: querías ver con tus propios ojos mi *petit jardin de dragons*.

—*Oui, c'est une folie douce!* —dijo Charles sonriente. Alargó la mano y tomó en ella la mano enguantada de la señora Mauvais, y se la llevó a los labios.

Ha dicho que él quería ver su pequeño jardín de dragones, le tradujo Brett. *Y él le ha respondido que eso era una dulce locura*.

Bueno, lo de la locura está claro, añadió Leira.

—¡Shhh! —dijo Clay muy bajito.

La señora Mauvais hizo seña a Clay de que se acercara.

—Charles es un viejo amigo —dijo.

«¿Cómo de viejo?», no pudo evitar preguntarse Clay. «¿Cientos de años?».

La señora Mauvais posó una rígida mano en el hombro de Clay. El contacto resultaba extraño, al mismo tiempo delicado y enérgico. Clay tuvo que hacer un esfuerzo para no apartarse.

—Y este es Austin. Su padre ha tenido que irse por asuntos de negocios, y nos lo ha dejado para el fin de semana. Todo nuestro.

—¡Qué suerte tenemos! —dijo Charles mirando a Clay con una sonrisa.

Entonces la señora Mauvais llevó a Clay hasta una mesa en la que estaban sentadas dos personas mayores, un hombre y una mujer. A diferencia de lo que sucedía con la señora Mauvais y con Charles, en ellos dos las arrugas y las manchas de edad de la cara mostraban que eran mayores, incluso mayores que los otros, seguramente. Dos uniformados miembros del personal del hotel estaban sentados enfrente de ellos, repartiendo cartas en la mesa. A juzgar por sus expresiones de descontento, los trabajadores estaban obligados a jugar contra su voluntad.

—Y aquí tenemos al señor y la señora Wandsworth —dijo la señora Mauvais—. Son famosos viajeros que recorren todo el mundo. Y unos apasionados del *bridge*.

La señora Wandsworth se volvió y miró a Clay por encima de la fina montura dorada de sus lentes bifocales. Aprovechando que estaba distraída, su marido intentó mostrarle una carta a su compañero de juego.

—Por favor, no hagas eso, Reginald —le dijo a su marido la señora Wandsworth, sin volverse—. Hacer trampas ofrece un mal ejemplo a la clase trabajadora.

Haciendo una mueca, el señor Wandsworth volvió a esconder su naipe.

Clay notó que el señor Wandsworth también llevaba guantes blancos, al igual que su mujer. Todos eran miembros del Sol de Medianoche.

La pierna de Clay empezó a moverse nerviosa. No se podía saber de qué eran capaces aquellas personas. Si quería tener éxito en el rescate de Cass y *Ariella*, o simplemente salir de aquella con vida él mismo, no podría bajar la guardia en ningún momento.

—¿Juegas al bridge, jovencito? —preguntó la señora Wandsworth.

—Eh... lo siento, la verdad es que no —dijo Clay.

—Aún mejor —dijo la señora Wandsworth con una sonrisa que no resultaba nada tranquilizadora—. Te enseñaremos.

—Quiere decir que te piensa quitar hasta la camisa. —Charles miró a Clay a los ojos y le hizo un guiño.

Sin saber muy bien cómo reaccionar, Clay apartó la vista.

—¡Charles, cómo te atreves! —Levantando mucho la nariz, la señora Wandsworth se volvió hacia Clay—. A pesar de no fiarse lo más mínimo de los jugadores, Charles ha consentido en jugar con nosotros después de la cena, pero necesitamos un cuarto jugador. Cuento contigo.

Clay abrió la boca para protestar, pero después decidió dejarse atrapar. Solo tendría que encontrar la manera de escaparse después de la partida de bridge. Su plan era buscar a Cass después de la cena, si no la había encontrado antes.

—Sí, vale —dijo—. Lo intentaré.

La señora Mauvais tosió para llamar la atención de todo el mundo:

—*S'il vous plaît, mes amis*, dijo dando una palmada con sus manos enfundadas en guantes—. Ahora que nos conocemos todos, ha llegado el momento de dar las famosas noticias: una buena, y otra mala.

Clay se puso tenso. ¿Malas noticias? ¿No habría descubierto al espía infiltrado?

—Como sabéis, esperamos volar a lomos de dragones muy pronto —siguió la señora Mauvais—. Algún día, hasta puede que podamos proporcionaros una armadura brillante y dejar que os batáis en duelo singular con un dragón, como San Jorge. Aunque sin matarlos, me temo, porque... ¡salen demasiado caros!

Los Wandsworth se rieron con una risa amarga. Charles se limitó a sonreír. Clay tuvo problemas hasta para respirar.

—Sin embargo, lamentándolo mucho, nuestros dragones aún no están completamente domados. Y a los más grandes es mejor verlos solo de lejos.

O sea que eso eran las malas noticias. Clay tragó saliva, aliviado de que no hubieran descubierto su identidad, pero preocupado por *Ariella*. ¿Qué estarían haciendo para tratar de domar a los dragones? Ninguna cosa agradable, eso seguro.

—La buena noticia es que podemos acercarnos a los dragones más jóvenes, y por supuesto a los que acaban de salir del cascarón. —La señora Mauvais miró a sus huéspedes inquisitivamente—. Así que ¿qué os parece si nos vamos a preparar y nos encontramos otra vez aquí en veinte minutos? La primera parada en nuestra visita será la guardería.

Miró a la puerta, donde había aparecido una chica joven con un gran pájaro gris en la muñeca.

—¡Satya, estás ahí!

Satya titubeó al principio, pero después se acercó. Era más o menos de la edad de Clay. Tenía piel aceitunada, pecas y grandes ojos de avellana; y llevaba unos vaqueros viejos, un sombrero de paja y un gran guante de cuero cuyo propósito era, evidentemente, evitar que el ave le clavara las garras en la mano. Clay se alegró de comprobar que la otra mano iba al aire: al menos ella no pertenecía al Sol de Medianoche.

—¿Qué te he dicho sobre sacar ese pájaro? —le preguntó la señora Mauvais con severidad.

Satya no dijo nada.

—¿Satya?

—Usted dijo que si no lo hacía yo, se la daría usted misma de comida a los dragones —respondió Satya de manera inexpresiva.

La señora Mauvais hizo un gesto cortante con la cabeza:

—Si creías que no lo decía en serio, entonces te equivocaste. A la próxima te lo demuestro.

—Sí, señora.

—Ahora, por favor, tú y tu pájaro acompañaréis a nuestro nuevo huésped a sus aposentos. Se instalará en la Tienda Beowulf.

Satya mostró a Clay el camino de salida, mientras acariciaba a su ave.

—No te preocupes, que nadie te va a hacer daño —le oyó decir al animal muy bajito.

El ave chilló. Satya siguió susurrándole a la oreja.

Clay sintió algo que le resultaba familiar. Había algo en la manera en que le hablaba ella a su ave que le recordaba su propio modo de hablar con los animales.

Bajaron por un sendero bordeado por un matorral de helechos y muchos lirios de colores brillantes. Los insectos zumbaban alrededor de las flores, pero el ave de Satya parecía no percibirse de lo que la rodeaba. La penetrante mirada de aquella ave permanecía clavada en Clay. Sin embargo, la propia Satya ni lo miraba.

Clay, esforzándose para no quedarse atrás, intentó pensar en algo que decir. Podía resultar útil ganarse una amiga, pensó para sí.

—¿Cómo se llama? —preguntó señalando al ave.

—Es hembra. Se llama *Hermes*.

—¡Hola, *Hermes*!

Clay miró al ave a los ojos, intentando darle a entender que él era un chico majo. El ave parpadeó, perpleja.

—No será verdad eso de que la señora Mauvais vaya a dársela de comer a los dragones, ¿no?

—Sería muy capaz, pero yo no se lo voy a permitir —dijo Satya con dureza—. Antes la mato.

—¿No te cae muy bien, verdad?

Le dirigió a Clay una mirada fulminante.

—Vale, ha sido una pregunta innecesaria.

—Piensan que son nuestros dueños, pero no. Nadie posee a mi padre.

—¿A tu padre?

—Vicente. El dragonero.

«Bueno, no me extraña», pensó Clay.

La cara de Clay debía de haber revelado algo, porque ella dijo:

—¿Qué pasa? ¿Te crees que tu padre es mejor porque es multimillonario?

—¡No! —respondió Clay, indignado—. Yo nunca pensaría tal cosa. De hecho, yo ni siquiera soy...

Antes de que pudiera acabar la frase, Brett y Leira empezaron a gritarle al oído:

¡Para! ¡No lo digas!

Se supone que ella tiene que creer que tú eres un hijo de papá, ¡recuérdalo!

Satya levantó las cejas:

—Tú ni siquiera eres... ¿qué?

Clay negó con la cabeza, fastidiado:

—No importa.

Llegaron a una fila de tiendas, cada una de un color diferente y cada una con un banderín diferente en lo alto, como si estuvieran destinadas a caballeros que fueran a participar en un torneo.

Satya se detuvo delante de una tienda de color rojo brillante. Su banderín tenía el dibujo de un dragón monstruoso con el nombre de BEOWULF.*

---

* *Beowulf* es el título y el héroe del poema más antiguo conocido en

—Bueno, aquí tienes...

Mientras Satya hablaba, *Hermes* se desprendió del brazo de Satya. El ave fue a posarse encima del banderín, como si ella fuera la dueña de la tienda.

—¿O sea que es aquí donde voy a dormir...? —dijo Clay, intentando prolongar el momento.

Satya lo miró.

—Ya lo sé: otra pregunta innecesaria.

Ella asintió, y una sonrisa fugaz apareció en sus labios.

—¿Tienes alguna otra?

«Sí», pensó Clay. «¿No sabrás por casualidad dónde tienen encerrada a una mujer llamada Cass?».

—¿*Hermes* es un águila?

—Un halcón.

—Guay. Es el ave más rápida que existe, ¿no? —dijo Clay, esperando impresionar a la chica, si no al ave.

—Así es.

Clay pensó que veía un asomo de interés en su cara, pero ella se volvió demasiado aprisa para que él pudie-

---

lengua inglesa. Beowulf lucha contra un dragón (o *Wyrm*) después de luchar contra un monstruo *(Grendel)* y contra otro monstruo más (la madre de Grendel). Uno no debería empeñarse nunca en luchar contra un dragón, pero si no hay más remedio que hacerlo, entonces debería ir bien descansado y dejar los otros monstruos para después. Beowulf es vencido por el dragón, que ha dominado nuestra imaginación desde entonces. El Wyrm de este poema es el origen de muchos dragones modernos falsos tal vez auténticos, tales como el dragón que escupe fuego y guarda un tesoro. J. R. R. Tolkien usó el dragón de *Beowulf* como inspiración para Smaug, el dragón obstáculo de la novela *El hobbit* y las cuarenta y siete películas de *El hobbit*.

ra estar seguro. Satya le hizo un gesto al ave con la mano.

—Baja aquí, *Hermes*. Tenemos cosas que hacer.

Hermes chilló como advertencia a Clay, y se fue volando hasta Satya y volvió a posarse en su muñeca.

—Por cierto, un pequeño consejo: Puede que pases calor con ese gorro. Te aseguro que no va a nevar.

Con una sonrisita, Satya se marchó andando por el sendero hasta que desapareció.

Molesto, Clay las vio marchar a ella y al ave. Brett y Leira se estaban riendo en sus oídos.

Eh, míralo por el lado bueno, dijo Brett. *Al menos tu disfraz está funcionando*.

—Gracias —susurró Clay, abriendo la portezuela de la tienda.

¿Por qué le preocupaba tanto caerle bien a Satya? Con un poco de suerte, se iría antes de la mañana siguiente.

Capítulo 8

La verdad sobre los dragones

Veinte minutos después, dos Land Rover alejaban del castillo a toda velocidad a los huéspedes de la Torre de Homenaje para introducirlos en un camino de cabras que atravesaba la selva, o que atravesaba todo aquello que habían plantado para que pareciera una selva.

Pronto pasaron un puente, y Clay contempló con tristeza, por la ventanilla del todoterreno, una cubierta de bambú que le recordaba mucho la Bahía del Bambú de la Isla de Price. Justo por encima de la Bahía del Bambú estaba la cueva en que había descubierto a *Ariella*...

Clay negó con la cabeza, recordándose que tenía que pensar solo en la misión que tenía entre manos. En algún sitio por allí cerca, Cass estaba prisionera, y su trabajo era encontrarla. Tenía la esperanza de poder liberarla aquella noche, para después ir a buscar a *Ariella* y marcharse volando a lomos de ella.

Mientras los Land Rover avanzaban por el camino de cabras a base de sacudidas, él no dejaba de mirar en busca de posibles emplazamientos de un calabozo. Sin embargo, no pasaron inmediatamente por delante de ninguna torre de piedra ni almacén de bloques de hormigón, ni siquiera de contenedores marítimos con candado, ni de chozas cerradas con tablas. Y no se podía imaginar que la señora Mauvais guardara a Cass fuera, en la selva, atada con lianas.

Al final, sin embargo, se detuvieron delante de un gran edificio con aspecto de almacén. Era una construcción grande, el lugar en que podría encerrarse a un prisionero rebelde.

«Estate alerta», se dijo Clay a sí mismo. Si había una ocasión de escaparse de los demás, debería aprovecharla. Por supuesto, eso era más fácil de decir que de llevar a cabo. Miró a aquellos extraños que tenía a su alrededor, y a pesar del calor sintió un escalofrío.

Mientras todo el mundo se apeaba de los Land Rover, se abrió una puerta de cristal y salió del edificio una mujer que llevaba gafas y una bata de laboratorio. Tenía en la mano una tablilla sujetapapeles, y llevaba recogido en una apretada cola de caballo su cabello negro y liso. Tenía las manos cubiertas con guantes blancos: ¿era otro miembro del Sol de Medianoche o los guantes no eran más que un elemento de su uniforme?

—¡Ah, estás aquí! —dijo la señora Mauvais mostrando impaciencia, como si hubiera esperado que la mujer se encontrara fuera, esperándola en posición de firmes—. Os presento a todos a la doctora Paru.

—Bienvenidos —dijo resueltamente la doctora Paru, sin hacer caso del tono de voz que empleaba con ella la señora Mauvais—. Por favor, si tienen todos la amabilidad de seguirme...

Clay se demoró allí fuera mientras Charles y los señores Wandsworth seguían a la doctora Paru al interior del edificio. Cuando la señora Mauvais fue a entrar, él le abrió la puerta, haciendo como que se había rezagado solo por cortesía:

—Después de usted.

Ella asintió con la cabeza, como si aquel comportamiento fuera completamente normal. Pero ¿por qué no iba a parecérselo? ¿Cómo iba a saber ella que él nunca le había abierto la puerta a nadie en su vida hasta aquel momento?*

Tras desaparecer el resto del grupo, Clay caminó lentamente por un largo pasillo iluminado con luces fluorescentes, pasando por delante de varias puertas abiertas. Todas ellas daban a salas de almacenamiento de algún tipo y no, por lo que podía ver Clay, a ninguna mazmorra secreta. Había una puerta cerrada hacia el final del pasillo, recubierta de una plancha de acero y sin ninguna indicación. Resultaba prometedora. Dudó un instante qué hacer.

Justo cuando estaba armándose de valor para abrir la puerta, la doctora Paru asomó la cabeza por una esquina:

—Perdona, ¿te has perdido?

Clay se dio la vuelta.

---

* ¿Nunca? Confieso que eso es una exageración. Pero es verdad que Clay no era proclive a las galanterías sociales. (He aquí un motivo para practicar buenas maneras, si es que lo necesitas: las buenas maneras pueden enmascarar todo tipo de maldades y subterfugios).

—¡Lo siento! Es que pensé que se habían metido por esta puerta —dijo con el corazón palpitante.

—Pues no —dijo la doctora Paru riéndose—. Esa puerta da a una trituradora de basura. Has tenido suerte de no haber entrado.

Clay sonrió levemente. Su primer intento de espionaje no había resultado una maravilla.

Al final del pasillo, la doctora Paru hizo pasar al grupo a una sala con aspecto de aula de ciencias de un instituto. Mientras sus invitados tomaban asiento, una pantalla de vídeo se encendía detrás de ella, mostrando un guante que daba vueltas y una línea de tiempo.

—Como todos ustedes saben, los últimos dragones desaparecieron hace más de cuatrocientos años —dijo recitando un discurso aprendido de memoria—. En términos de historia de nuestro planeta, eso no es más que un segundo. Pero lo extraño es que los dragones casi no han dejado huella en el registro geológico.

La imagen de la pantalla se disolvió en un montaje de científicos explorando montañas, desiertos, cuevas e incluso el fondo oceánico.

—Durante años, nuestro equipo ha peinado el mundo entero buscando alguna garra o diente, una cola fosilizada, alguna marca reveladora en la pared de una cueva..., pero no hemos encontrado nada. Empezábamos a temer que no pudiéramos encontrar nunca ni siquiera una levísima muestra de DNA de dragón, no digamos ya algo que nos permitiera la clonación. Tal vez, después de todo, los dragones no hubieran existido nunca, pensamos...

Sentado en la última fila, Clay arrugó la cara.

«¿La clonación?». ¿Era ese el modo en que el Sol de Medianoche había obtenido sus dragones? ¿Habían clonado a *Ariella*? Era una idea alarmante.

—Hasta que ocurrió el incidente de la Isla de Price...

—Sobre el cual, cuanto menos digamos, mejor —terció con frialdad la señora Mauvais.

Clay contuvo la respiración. Estaba seguro de que «el incidente de la Isla de Price» se refería a la primera ocasión en que el Sol de Medianoche capturó a *Ariella*. Esperaba que nadie se acordara de la huida del dragón ni del papel que habían jugado en ella ciertos jóvenes campistas.

—Al menos comprobamos que los dragones eran reales —dijo Amber, poniéndose colorada.

—Lo único que comprobasteis es que no sabéis guardar un lagarto en una jaula —repuso la señora Mauvais—. Y esa es la última vez que te confío alguna responsabilidad. Te ruego que continúes, doctora Paru.

Clay soltó aire. Seguían hablando. Tal vez pudiera enterarse a continuación de cómo volvieron a capturar a *Ariella*.

—Después de eso tuvimos una idea —dijo la doctora Paru, como si no hubiera habido una interrupción—. En lugar del mundo natural, tal vez deberíamos estar buscando en el mundo humano, en algún lugar protegido de los caprichos de la naturaleza, pero también fuera del alcance de la mayor parte de la gente.

En la pantalla apareció una imagen de una espada que le resultaba conocida.

—Resultó que aquello que buscábamos lo teníamos delante de las narices. La espada *Matadragones*. En la incomparable colección de los mismísimos señores Wandsworth. —La doctora Paru indicó hacia ellos con un movimiento de la cabeza.

La señora Wandsworth se inclinó hacia Clay y le susurró al oído:

—La espada solo está prestada, por supuesto. Su valor es incalculable.

—Encontramos un montón de óxido y mugre acumulados en la hoja —prosiguió la doctora Paru—. Nadie la había limpiado nunca. Era como si limpiarla fuera tabú. ¿Podía deberse eso a que el óxido en realidad no era óxido? Bueno, me alegra poder decir que esta vez dimos en el clavo: era sangre de dragón, reseca y preservada a lo largo de los siglos.

La pantalla se llenó de una doble hélice de ADN que giraba.

—Pudimos reconstruir enseguida tres secuencias enteras de ADN. Solo quedaba encontrar el modo de dar vida al ADN.

Con un gesto, indicó una cesta de zuecos sanitarios que aguardaba junto a la puerta:

—Si no les importa ponérselos sobre los zapatos...

La doctora Paru condujo al grupo a través de un par de puertas de cristal selladas.

—Ahora están entrando en nuestro laboratorio principal, donde experimentamos con los más diminutos ladrillos de la vida.

Se detuvo delante de una misteriosa máquina del tamaño de una nevera, con brazos mecánicos y luces parpadeantes. Otro científico de bata blanca estaba manipulando algo dentro de la máquina a través de unos agujeros recubiertos de goma en los laterales. Un monitor de vídeo que estaba allí cerca mostraba en qué se hallaba trabajando: era un huevo gigante, en forma de balón de rugby y de un color azul verdoso brillante.

—Aquí se inyecta el ADN en un huevo de emú —dijo la doctora Paru—. Hay que hacerlo bastante pronto, para que se desarrolle un dragón a partir del embrión de emú.

Mientras la doctora Paru seguía explicando lo que estaban viendo, Clay intentaba encontrar sentido a lo que acababa de oír. Si los dragones de la Torre de Homenaje nacían a partir de un ADN antiguo, entonces no eran ni clones de *Ariella* ni ningún vástago natural de ella. Podrían diferir de *Ariella* de muchísimas maneras.

«¿Cómo se llevaría *Ariella* con esos otros dragones?», «¿Cómo se llevaría él con ellos?», se preguntaba. Su misión le parecía cada vez más complicada.

La doctora Paru miró a Clay, frunciendo el ceño.

—¿Has dicho algo?

Clay tragó saliva:

—Solo decía: «¡Jo, cómo mola!» Nada más.

Ella pareció complacida:

—Sí, mola... No pasa todos los días eso de resucitar una especie extinta.

«Uff», pensó Clay. Tenía que esconder mejor sus sentimientos.

A continuación, ella los llevó a una sala adyacente, donde los aguardaban Vicente y Satya. Allí el aire era más cálido y la luz más tenue.

—Y aquí tenemos nuestras últimas incorporaciones —dijo la doctora Paru.

A Clay le costó un rato adaptar los ojos a la falta de luz. Y cuando lo consiguió se quedó mirando, como alelado.

A un lado de la sala había cuatro incubadoras en fila, con nidos hechos de heno. Dentro de cada uno de ellos había un dragón recién nacido, no mayor que un chihuahua. Las alas y colas de los dragoncitos parecían pegajosas, como si acabaran de salir del nido en aquel momento, y su piel brillante y escamosa comprendía una variedad de colores: dos de ellos eran de un tono entre rojo y marrón, otro era azul muy oscuro, casi negro, y el otro era de un color pálido casi igual que el heno en que estaba colocado. Parpadeaban, bufaban y se retorcían, no completamente conscientes de lo que ocurría allí, pero sí molestos por la intrusión.

Ante los ojos de Clay, el dragón de color pálido encontró por casualidad su cola, se la mordió, y entonces soltó un chillido y se puso de un rojo encendido, igual que le había pasado a *Ariella* cuando estaba furiosa. Evidentemente, aquel dragón tenía una similar habilidad camaleónica para cambiar de color. Tal vez *Ariella*, después de todo, tenía allí un pariente, pensó Clay con esperanza.

—Y aquí tenemos nuestros dos niños...

Al otro lado de la sala había media docena de jaulas que parecían construidas para albergar leones y tigres de algún circo ambulante. Solo dos de aquellas jaulas estaban ocupadas, cada una de ellas por un dragón jovencito cuyo tamaño sería el doble de los recién nacidos. Pero viendo las jaulas, sin embargo, se podía pensar que los científicos esperaban que aquellos retoños se darían mucha prisa en crecer.

Para sorpresa de Clay, aquellos dos dragoncitos más grandes tenían los brazos atados con cuerdas, y en la cabeza llevaban unos capuchones que les tapaban los ojos pero no el morro.

—¿Eso son caperuzas de cetrería? —preguntó Charles—. Y donde van atadas las correas son las pihuelas, ¿no?

La doctora Paru miró a Vicente, que asintió con la cabeza.

—Sí. Los estamos entrenando de pequeños, porque con los mayores cometimos el error de empezar demasiado tarde... —dijo.

—¡Pero no se puede entrenar a un dragón! —soltó Clay, horrorizado.

Las palabras del *Occulta Draco* resonaban en su cabeza: *Muchos son los cetreros que han intentado entrenar un dragón con capuchas y sogas, igual que entrenan a sus aves...*

Vicente miró a Clay con mucha atención:

—Tú tienes mucha experiencia con dragones, ¿verdad?

Clay se puso pálido, comprendiendo el error que acababa de cometer. Podía oír en el gorro los gritos contenidos de Brett y Leira.

—No, lo que quería decir es que... ¿están seguros de que pueden entrenar a un dragón igual que se entrena a un halcón? Puede que al dragón no le guste.

Vicente se rio:

—Escuchadle: ¡ya ha salido el primer activista del mundo por los derechos de los dragones!

—En realidad —dijo Satya en voz baja, intentando rebajar la tensión—, las caperuzas los mantienen tranquilos. Y las correas y pihuelas, bueno, impiden que salgan volando.

Vicente asintió, aceptando la intervención de su hija.

—Es hora de comer, así que ahora les quitaremos las caperuzas —dijo Vicente—. Podrás relajarte.

Aliviado, Clay vio cómo Vicente insertaba unas pinzas en una de las jaulas y retiraba con ellas la caperuza del dragón. Parpadeando, el dragoncito soltó un bufido y atacó las pinzas mientras Vicente las retiraba.

—A este lo llamamos Houdini —explicó Vicente.

—¿Porque intenta escapar? —preguntó Clay, tratando de adivinar.

Satya asintió con la cabeza:

—El otro se llama Bodhi, porque es más sosegado.

Abrió una nevera de plástico, dentro de la cual había rojos pedazos de carne, cruda y sangrienta.

La doctora Paru se cruzó de brazos y le hizo un gesto a Clay:

—¿Te gustaría darles de comer tú?

Clay parpadeó antes de responder:

—Eh... ¿puedo?

Cogió un pedazo de carne y se acercó a la jaula de Houdini. Aquel dragoncito era negro, o tal vez azul muy oscuro, con ojos amarillos y una melena de púas negras a modo de cresta. Olfateó el aire por un segundo y entonces se lanzó a los barrotes, agitando las alas contra la puerta de la jaula. Clay notó que se le había rasgado una de las alas, y que no la tenía completamente curada.

La boca de Houdini se abrió y Clay se asustó, temiendo que el dragón pudiera escupir fuego. Para su sorpresa, emitió algo entre gorjeo y graznido, pero no arrojó ninguna llama. Clay dio otro paso hacia la jaula, y entonces sintió una mano en el hombro.

—Yo no me acercaría más —dijo Vicente—. Puede que sea pequeño, pero lanza unos buenos mordiscos. —Y entonces le indicó a Clay, gesticulando, cómo debía lanzarle la carne al dragón por entre los barrotes de la jaula.

Alejando la cara del agitado dragón, Clay le arrojó dentro el trozo de carne. El dragón lo atrapó en el aire, y se puso a masticarlo nada discretamente. No era una visión muy entrañable.

—Vuestros dragones comen bien —comentó la señora Wandsworth—. ¿Siempre les dais *fillet mignon?*

—No, normalmente sus comidas son... —empezó a decir la doctora Paru, pero no terminó.

—No pasa nada —dijo Vicente con una sonrisa de oreja a oreja.

Cuando Vicente le quitó la caperuza de la cabeza al dragón que llamaban Bodhi, Satya ofreció a Charles la nevera de plástico abierta:

—¿Señor...?

Charles miró al dragoncito con cautela:

—¿No hay ningún riesgo de que me chamusque el pelo?

—En realidad, eso de que echen fuego por la boca no es más que un mito —dijo la doctora Paru—. Creemos que esa idea proviene del hecho de que el aliento de los dragones contiene una gran cantidad de metano. Si un dragón respira cerca de una llama entonces, sí, el aliento puede arder, pero no es que vayan a lanzar llamaradas por la boca.

Vicente se rio por lo bajo:

—Es un poco como lo de que uno no echa realmente pedos de fuego cuando le acercan una cerilla al culo.

—Muy divertido, nunca lo he probado —dijo Charles—. ¿Usted tiene la costumbre?

Vicente puso cara de quererle pegar a Charles, pero se volvió hacia el dragón:

—A este le daré de comer yo mismo.

Clay estaba confuso: había visto a *Ariella* echar fuego por la boca varias veces, en el volcán y en el barco. ¿Era posible que en esas ocasiones hubiera habido una llama cerca... lo bastante cerca para encender el aliento del dragón? Le parecía raro, pero tal vez...

Miró a Houdini. Los ojos amarillos del dragón le devolvieron la mirada.

—Ahora puedes dárselo a la boca si quieres —dijo la doctora Paru.

—Eh... —dudó Clay. El olor cuprífero de la sangre seguía presente en el ambiente.

—No pasa nada. Se vuelven mucho más mansos cuando ya han comido. ¿Verdad, Vicente?

Él hizo con la cabeza un gesto afirmativo pero brusco:

—Satya, dale tu guante al niño.

—Vale. —Satya le entregó a Clay su guante de cetrería: un gran guante de cuero—. No te preocupes, Houdini es superamable —dijo mientras él se lo ponía—. Como un gatito. Bueno, salvo cuando te arranca la mano de un mordisco.

Sonriendo para sí, se puso con Clay junto a la puerta de la jaula, y la abrió:

—Ahora alarga la mano, y espera.

El dragón parpadeó mientras Clay metía la mano en la jaula y esperaba a que se subiera.

—Bueno, esto debería valer —dijo Satya, poniendo un pedazo de carne en la muñeca de Clay, recubierta de cuero. Houdini inmediatamente atacó la carne, pero Clay apartó la muñeca lo bastante rápido para que el dragón tuviera que saltar sobre su brazo para comer. Clay se sorprendió de lo ligero que era el dragón, y al mismo tiempo de lo ferozmente que le clavaba las garras. Se alegraba de llevar guante.

Cuando el dragón atacó la carne, Clay se concentró en intentar comunicarse con él.

—¿Cómo va la cosa, amigo? —le susurró. No quería delatarse, pero quería saber si sería capaz de hablar con los nuevos dragones de la Torre de Homenaje.

El dragoncito lo miró inclinando hacia un lado la cabeza, pero no respondió.

Clay volvió a intentarlo.

—¿Qué le ha pasado a tu ala?

El dragón abrió la boca, y Clay dio un respingo, pero no hubo llamas, tal como había prometido la doctora Paru. El dragón tan solo estaba bostezando, algo que todos somos propensos a hacer después de una buena comida.

Descorazonado, Clay se preguntó por qué no podía llegar a Houdini como llegaba a *Ariella*. Pero, claro, aquel dragón era muy pequeño. Los niños humanos no podían hablar hasta que tenían, ¿qué edad?, dos años, razonó Clay. Tal vez pasara lo mismo con los dragones.

Con cuidado, devolvió el dragón a su jaula.

—Parece que te encuentras muy a gusto con él —dijo Satya, que había estado observando por encima del hombro de Clay.

—¿Eh...? —preguntó Clay, cerrando la puerta de la jaula. ¿Qué quieres decir?

Su mente iba desbocada. ¿Qué le sucedía? No paraba de olvidarse de dónde se encontraba.

—¿Tu padre te compró un dragón de mascota cuando eras pequeño? —preguntó Satya, cogiendo el guante que Clay le devolvía.

—¿Qué? ¡No! —respondió Clay, muy serio—. Este es el primer dragón que veo en mi vida, lo juro.

Satya lo miró como si él estuviera mal de la cabeza:

—Pero ¿no ves que estaba bromeando?

—Ah, sí, claro —dijo Clay, colorado como un tomate.

—Porque, ¿conoces alguna tienda de mascotas que venda dragoncitos?

—En realidad, yo tuve un dragón de Komodo de mascota —dijo Clay mientras salían.

—¿En serio?

—No. —Clay sonrió para sí—. Pero admítelo, te lo has creído, halconera.

Uy Dios mío, le dijo Brett por el gorro. *Esa chica le gusta*.

¡Clay!, dijo Leira. *¡No has ido ahí a ligar! ¡Tienes que encontrar a Cass!*

Satya inclinó la cabeza, tal como había hecho el dragón.

—¿Por qué te has puesto colorado? —le preguntó, lo cual solo sirvió para que se pusiera aún más rojo.

«Hay que ver», pensó Clay, «voy a tener que discurrir alguna broma pesada de verdad para cuando vuelva al Rancho de la Tierra. Si es que vuelvo...».

Se le acababa de pasar por la imaginación algo realmente inquietante: si el Sol de Medianoche creaba dragones a partir de viejo ADN de dragón, entonces no tendrían necesidad de un dragón vivo. No necesitaban a *Ariella*.

Se entretuvo con Satya mientras los otros se reunían en torno a los Land Rover.

—Eh, me estaba preguntando precisamente... —dijo, como si la idea acabara de ocurrírsele—. Los dragones de la Torre de Homenaje, ¿son todos clonados?

Satya lo miró otra vez como si él estuviera loco.

—Sí. ¿De qué otro modo vas a obtener un dragón?

—Ah, no lo sé. Se me ocurrió que tal vez hubieran encontrado un dragón por algún lado.

Clay se volvió para que ella no le pudiera ver la cara, y se encaminó a toda prisa hacia un Land Rover que esperaba.

Muchas ideas y sentimientos rebullían en la cabeza de Clay, pero había algo claro: *Ariella* no estaba en la Torre de Homenaje.

Capítulo
9

La vista desde el helicóptero

Sentado en la parte de atrás del Land Rover, mirando por la ventanilla, los pensamientos de Clay giraban y volvían a girar con cada curva del camino.

Se dijo que debería alegrarse de que *Ariella* estuviera libre, y no prisionera del Sol de Medianoche. Y por un lado se alegraba. De verdad. Pero por otro lado, otro lado más grande aún, no se alegraba. Porque había que afrontar la verdad: *Ariella* podía haber vuelto y no lo había hecho. *Ariella* lo había abandonado.

Y además, claro, si *Ariella* no estaba allí, no tenía modo de salir de la Torre de Homenaje. Su única esperanza era Owen. Si las erupciones de la Isla de Price habían remitido, el «padre» de Clay podría volver a la Torre de Homenaje, tal como se esperaba. Entonces podrían escapar juntos, y con un poco de suerte, llevando con ellos a Cass. Pero si Owen seguía ocupado evacuando a los chicos del campamento...

Clay se tocó nervioso el gorro de lana, y entonces apartó el dedo como si el gorro quemara. ¡Aún no!, se dijo.

Tenía muchísimas ganas de contactar con sus amigos en el Rancho de la Tierra, pero no podía arriesgarse a hablar con ellos delante de los otros. Tendría que esperar a estar solo.

Clay notó que Gyorg, que llevaba a la señora Mauvais y a los señores Wandsworth en el vehículo que iba delante del de ellos, había regresado en dirección al castillo; Vicente, que llevaba en el coche a Clay, Satya y Charles, parecía ir en otra dirección distinta.

—¿Por qué no volvemos con ellos? —le preguntó a Satya, que se había vuelto mucho más simpática con él desde que lo había visto interactuar con el dragoncito.

Ella lo miró:

—No me digas que tú también tienes miedo de las alturas.

—Clay negó nervioso con la cabeza, sin entender muy bien qué quería ella decir. De hecho, él tenía algo de miedo de las alturas (era un rasgo familiar), aunque ni loco lo hubiera admitido.

No tardaron en entrar en otro claro, donde vio dos círculos de cemento punteados con luces y marcas brillantes. Encima de uno de los círculos había un helicóptero negro. Clay observó con aprensión las enormes armas que el helicóptero portaba en los laterales. ¿Estaban allí para someter a los dragones, o para eliminar infiltrados? En cualquier caso, no le gustaban.

Un momento después, lo sujetaban a un asiento de cuero negro.

El estómago se le revolvía mientras el helicóptero daba bandazos en el aire, balanceándose a medida que ganaba altura. Pero entre sus muchas habilidades, Vicente tenía de ser un gran piloto, y no tardaron en salvar la espesura. Pronto Clay estaba apretando la nariz contra el cristal para ver bien el cráter.

En una dirección pudo distinguir el castillo y las tiendas y a lo lejos una especie de granja o corral lleno de ganado. En la otra dirección estaba el complejo de laboratorios. Más allá del laboratorio, había una construcción solitaria que parecía como una torreta de socorristas, o la torre de vigilancia de una prisión, solo que mucho más alta.

Aquella torre ¿podía ser la prisión de Cass? Decididamente, estaba lo suficientemente aislada para poder serlo. Tendría que investigar más tarde.

Todos los demás pensamientos se le borraron cuando Vicente giró bruscamente a la derecha y apareció debajo de ellos, justo delante, el brillante lago en forma de reloj de arena. El lago estaba rodeado por todos lados por un anillo de rocas redondeadas, como un collar de dientes gigantes y malformados.

—Bueno, ahora mantened los ojos bien abiertos —dijo Vicente.

Dejó caer el helicóptero justo lo suficiente para que en la superficie del lago empezaran a formarse ondas. Pero no fue el lago lo que le hizo a Clay contener el aliento, sino las dos sombras que pasaron por encima del agua.

Una de las sombras correspondía, sin posibilidad de confusión, a un helicóptero (el helicóptero en que iban ellos). La otra podía haber sido un avión, salvo que las alas se agitaban y la cola se balanceaba. A juzgar por el ángulo del sol, parecía encontrarse justo por encima de ellos. Clay estiró el cuello pero no vio nada.

Hasta que, de repente...

La oscura y escamosa parte inferior de un dragón pasó por encima de la cabina de mando. Entonces, con un meneo de la cola que por solo unos centímetros no golpeó el cristal delantero del helicóptero, el dragón descendió en picado hacia el lago.

Mientras los pasajeros contenían un grito, Vicente se reía:

—Ah, *Barbazul* solo intenta darnos un susto. No le gustan las visitas. Ese dragón sabe que no puede herirnos, o recibirá su...

Vicente levantó en la mano algo que parecía un mando de televisión:

—¿Veis el collar de acero que lleva *Barbazul*? Si no me gusta algo de lo que le vea hacer al dragón, no tengo más que apretar este botón, que le da una sacudida de diez mil vatios en el cuello.

Clay sintió un escalofrío. El collar no era tan sorprendente, tal vez, pero iba contra todo lo que él sabía y creía sobre la majestuosidad de los dragones.

Barbazul rozó la superficie del agua con una garra, y después se posó en una roca ancha. Clay se dio cuenta de que las mandíbulas llenas de picos del dragón negriazul parecían una barba de pirata.

—Pero *Barbazul* es muy astuto —dijo Vicente—. Es el más listo y el más malo del grupo.

No lejos de *Barbazul*, tomando el sol en las rocas como la mascota de dragón Komodo que Clay no había tenido nunca en realidad, había otras dos criaturas muy distintas pero igualmente magníficas y aterradoras. Como *Barbazul*, llevaban unos collares de acero brillante alrededor del cuello.

—Cuesta creer que hace solo unos meses estaban metidos en esas jaulitas, y les daban de comer trocitos de filete, ¿eh? —dijo Vicente.

Sí, Clay tenía que admitirlo que eso ponía a prueba la imaginación. No se podía estar seguro a aquella distancia, pero a Clay le pareció que al menos uno de aquellos dragones podía ser más grande que *Ariella*.

—El más grande se llama *Rover* —dijo Vicente—. *Rover* es también el más tonto... y el más torpe. Ese dragón puede mataros incluso sin querer. No os acerquéis a él.

Si *Barbazul* era como un velociraptor, *Rover* era como un tiranosaurio. Grande, gris y preparado para derribar una montaña.

Ante sus ojos, *Rover* se levantó sobre sus enormes patas traseras y después se dejó caer en plancha en el lago, provocando una salpicadura del tamaño de un maremoto.

—Y el que está abajo, al extremo sur del lago, durmiendo como de costumbre, es *Copito de Nieve*.

Clay estaba a punto de preguntar el porqué del nombre, cuando aquel dragón más pequeño, de color verde brillante, volvió la cabeza. Justo encima del morro tenía una mancha blanca, como un copo de nieve.

—No os dejéis engañar por lo relajados que parecen —dijo Vicente—. He elegido esta hora a propósito porque el sol está alto, y eso los vuelve perezosos.

Mientras hablaba, *Copito de Nieve* espantó algo que le andaba por los ojos, se colocó bocarriba, y volvió a dormirse.

—Estos dragones pueden haber nacido en un laboratorio, pero son animales salvajes de todas maneras —dijo Vicente—. Son malos e impredecibles, y saltarán sobre vosotros en un segundo si no os andáis con cuidado.

—Puede que sean tan salvajes porque no tienen dragones adultos a su alrededor para aprender el comportamiento propio de un dragón —sugirió Charles con suavidad.

Vicente lo miró por encima del hombro:

—No se preocupe, saben quién es el que manda aquí. —Y se señaló a sí mismo.

—Usted se cree que es su macho alfa, ¿verdad? —dijo Charles.

—Sé que lo soy —le corrigió Vicente—. Ahí está la clave. Uno tiene que estar completamente seguro.

—Pero ¿cómo puede estar tan seguro de que los dragones tienen machos alfa? —insistió Charles—. En las leyendas, los dragones son una especie muy independiente.

—Son independientes —dijo Clay—. Lo son.

Charles, Satya y Vicente se volvieron los tres hacia él. Clay sintió que se estaba poniendo colorado como un tomate. Le había vuelto a pasar.

Vicente levantó una ceja.

—¿Y eso tú cómo lo sabes, chaval? ¿Por *El hobbit?*

—No te burles de él, papá —dijo Satya—. Tú ni siquiera has leído *El hobbit*.

—Tocado —dijo Charles, divertido.

—El caso es que hay machos alfa en todas las especies —dijo Vicente echándole a su hija una mirada fulminante—. Incluso en la nuestra.

Clay decidió que era mejor cambiar de tema:

—¿Qué son esos postes? —preguntó, señalando una línea de postes blancos clavados en el suelo. En lo alto de cada uno había una luz intermitente.

—Marcan el perímetro de la cúpula —dijo Vicente.

Explicó que alrededor y por encima del hábitat de los dragones, había un perímetro invisible, una «cúpula», hecha de corrientes eléctricas. La cúpula mandaba la instrucción a los collares para provocar un *shock* a los dragones cada vez que se acercaban demasiado.

—O sea que si se desconectara esa cúpula..., los dragones podrían irse volando adonde les diera la gana, ¿no? —Charles contempló el cielo que los rodeaba, como si pensara que la cúpula pudiera volverse visible.

—Y atacar a quien les diera la gana también, efectivamente —dijo Vicente—. Especialmente porque la cúpula está conectada a esto. —Volvió a enseñarles el control remoto—. Si la cúpula se desconecta, los collares se desconectan.

—O sea que más nos vale que la cúpula siga donde está —dijo Charles, aludiendo de manera muy tenue a lo que podría ser una catástrofe.

«A menos que uno quiera irse volando a lomos de un dragón», pensó Clay. «En ese caso, habría que desconectar primero la cúpula». Por supuesto, uno tendría que convencer al dragón de que le dejara subirse a su lomo. Y eso sería muchísimo más difícil.

El helicóptero describió un ocho lentamente, serpenteando alrededor de los dragones, y después descendió poco a poco, acercándose más a las bestias que tomaban el sol. Para entonces dos de los dragones, *Barbazul* y *Rover*, habían levantado la cabeza para observar el helicóptero aguzando la vista. *Copito de Nieve* seguía tendido en la roca, como un gato gigante que disfrutara del sol.

Clay los contemplaba sobrecogido. ¿Era aquel su nuevo plan B, salir volando de la Torre de Homenaje a lomos de alguno de aquellos dragones? O más bien sería su plan C, pues el plan B era que Owen volviera. (*Ariella* había sido el plan A). En cualquier caso, no estaba mal pensar en distintas opciones. Muy bien podría necesitar irse antes de que regresara Owen.

¿Podría llegar a hacerse amigo de los dragones de la Torre de Homenaje? ¿A aliarse con alguno de ellos, como lo explicaba el *Occulta Draco*? En las incubadoras, él no había logrado comunicarse con ninguno de los dragones bebé, pero aquellos dragones estaban plenamente crecidos, o casi... Esperaba que su habilidad comunicativa estuviera también más desarrollada.

Miró por la ventanilla, intentando distinguir si los dragones se estaban comunicando unos con otros.

Al acercarse más el helicóptero, empezó a sentir algo que procedía de ellos. No eran ni palabras ni pensamientos. Más que ninguna otra cosa, era como un sentimiento.

Un sentimiento fuerte.

Rabia.

De repente, *Barbazul* se hizo para atrás y extendió un par de enormes alas negriazules. Clay se estremeció.

¡¡¡GRRUUUAAAJ!!!

Vicente hizo elevarse bruscamente el helicóptero, pero después lo mantuvo en el aire, a no mucha distancia.

El dragón los miró fijamente, dando la impresión de que quería hacer trizas el helicóptero.

—¿No es el momento de apretar ese botón que tiene usted ahí? —preguntó Charles.

—O quizá simplemente de alejarse —añadió Clay.

Vicente se rio.

—No se preocupen. No podría alcanzarnos antes de que yo le zumbara.

—Puede que no —le contrarió Clay—. ¡Pero su aliento sí podría! Miren: ¡dentro de un segundo va a chamuscar este helicóptero!

Negando con la cabeza, Vicente se volvió hacia Clay:

—Como dijo la doctora Paru, no es verdad que los dragones echen fuego por la boca.

De repente, *Barbazul* dio un salto en el aire. Entonces el dragón echó atrás la cabeza de un modo que le resultaba demasiado familiar a Clay. Clay se preparó para lo peor, esperando arder como una antorcha.

Pero cuando el dragón abrió la boca, mostrando varias filas de dientes brillantes y afilados, de ella no salió ninguna llamarada, ni siquiera una chispa, sino tan solo un potente y aterrador

¡¡¡GRRUUUAAAJ!!!

Al mismo tiempo, Vicente apretó un botón del control remoto. *Barbazul* emitió un sonido de furia ahogada, y cayó sobre la roca, a sus espaldas.

—¿Qué os había dicho yo...? —Vicente sonrió como diciendo: «Ya lo veis, sí que soy el macho alfa».

Clay asintió con la cabeza. El corazón le palpitaba. Aquel era el segundo dragón que no había lanzado fuego cuando él pensaba que iba a hacerlo. ¿Tal vez *Ariella* era una excepción? ¿O tal vez era verdad que había una llama cerca cada vez que *Ariella* echaba fuego por la boca?

Tal vez no supiera tanto sobre dragones como creía.

Capítulo
10

Los terrores de la cena

Cuando llegó a su tienda, Clay le dio tres vueltas completas alrededor, comprobando que no hubiera nadie cerca. (Y menos mal que no había nadie, porque parecía tonto, dando vueltas de aquella manera). Cuando se hubo asegurado, abrió la portezuela de la tienda y se metió dentro un poco agachado.

—Eh, tíos, ¿estáis ahí? —preguntó Clay dando golpecitos en un lateral de su gorro de lana—. Menudo papelón el que me ha tocado.

Sí, estamos aquí, respondió Leira. Le ponía nervioso oír la voz de ella en su oído incluso cuando la esperaba. ¿Que *te ha tocado a ti un papelón? Tendrías que haber visto cómo se ha puesto conmigo el señor B. cuando le he dicho que te quedabas. Como si te hubiéramos dejado solo con los dragones, o algo así.*

—Muy gracioso.

En serio. Estaba furioso. Le parece que todo es culpa mía. Ya sabes, el rollo ese de matar al mensajero... Por supuesto, yo os eché la culpa a Owen y a ti...

—¿Qué tal si dejamos al señor B. para después?

A toda prisa, le contó que *Ariella* no estaba en la Torre de Homenaje y que esperaba que Owen pudiera volver pronto.

Psíííí..., le contestó Leira, aterrorizada. *Owen ni siquiera ha llegado aquí todavía; es un viaje largo, ¿recuerdas? Además, la lava sigue cayendo derechita hacia nosotros. Todo el mundo le está esperando para que nos saque de aquí. Si no llega, tendremos que inflar las lanchas salvavidas.*

—O sea, que me las voy a tener que arreglar solo...

¿Qué me dices de los otros dragones? ¿No puedes escapar a lomos de alguno de ellos?

—Sí, quizá —dijo Clay—. O quizá no. ¿Has recuperado el *Occulta Draco* que se llevó Sílex?

No, lo siento. Él jura que no lo tiene.

—¿Has registrado sus cosas?

¡Por supuesto!, respondió Leira, ofendida. *¿Te crees que no soy la mejor registradora de cabañas del Rancho de la Tierra?*

—Vale, bueno, gracias por intentarlo —dijo Clay, haciendo un esfuerzo por continuar en vez de derrumbarse de desesperación—. La señora Mauvais me ha pedido que no llegue tarde a la cena. Dice que son muy del Viejo Mundo aquí. No sé qué querrá decir.

¿A la cena? ¿Y no deberías ir a buscar a Cass?

—Ya lo sé. Pero si no me presento, empezarán a buscarme ellos a mí.

◆ ◆ ◆

Era el tipo de salón que hubiera resultado intimidante aunque no hubiera estado ocupado por viejos alquimistas sedientos de sangre.

Cuando entró Clay, se encontró de cara con un muro de cristal por el que se tenía una vista de la selva exterior y del lago, a lo lejos. Las otras paredes, así como el suelo y el techo, estaban recubiertas de baldosas de espejo, de manera que se reflejaban unas a otras en una regresión infinita, proporcionándole a Clay la vertiginosa sensación de que caía por el espacio.

Pero lo más sorprendente de todo era la larga mesa, sumamente tallada. Parecía la mesa que uno podría ver en una película antigua, con un rey y una reina sentados en los extremos opuestos..., salvo por un detalle. En vez de madera, la mesa estaba hecha completamente de cristal, incluidas las patas. E igualmente, las altas sillas tenían un aspecto muy decorado y señorial, pero también estaban hechas completamente de cristal. Completaban el efecto los candelabros de brillante cristal, y las enormes copas de cristal. Era como si alguna reina de las nieves, salida de un cuento de hadas, hubiera agitado su varita mágica y convertido todo el salón comedor en hielo. Hasta la expresión de los rostros de los invitados parecía congelada.

Clay tuvo la sensación de que la sala entera podía romperse en cualquier instante, comensales incluidos.

—Austin, querido, cómo... ¿cómo estás? —preguntó la señora Mauvais, mirando el gorro de lana que seguía llevando en la cabeza. Ella se había puesto un vestido de noche, de color plata brillante, en el que Clay podía ver diminutos reflejos de sí mismo—. Ven, siéntate a mi lado.

Un camarero retiró un poco la silla para facilitarle que se sentara, pero Clay no se dio cuenta y casi se cae al suelo.

—¡Ah, lo siento! —dijo.

Muy avergonzado, intentó hacer balance de la situación. Había planeado comer aprisa, y después excusarse e ir a buscar a Cass, pero como había allí tan pocas personas, largarse iba a resultar difícil. Quizá imposible.

La señora Mauvais hizo sonar su copa con una cuchara para obtener la atención de todos.

—Estáis a punto de disfrutar un banquete medieval —informó a los invitados—. Todos los platos que van a servir son exactamente platos que se podrían encontrar en la mesa de un castillo medieval. Pero hemos cambiado la presentación, y el tamaño de las raciones, para adaptarlos al gusto moderno.

—Por supuesto, hoy día tenemos que hacerlo todo a la manera moderna —se lamentó la señora Wandsworth.

Charles sonrió levemente:

—Hasta los dragones.

—Lo llamamos *cuisine nouveau moyen-âge* —dijo la señora Mauvais, sin hacerles ningún caso.

Brett, que evidentemente había estado escuchando, le tradujo a Clay al oído:

Eso quiere decir «cocina nueva Edad Media», que es una paradoja, o tal vez un oxímoron.

Clay observó atentamente lo que tenía delante en la mesa. A cada lado de su plato se alineaban por lo menos cincuenta cubiertos. Bueno, al menos diez.

Haciendo como que se estaba rascando la sien, apretó disimuladamente un lado de su gorro de lana.

¿Qué?, preguntó Brett. ¿Quieres saber la diferencia entre una paradoja y un oxímoron?

No por primera vez, Brett le recordó a su hermano Max-Ernest. Volvió a apretar el lateral del gorro.

Espera, estás en la cena, ¿verdad? Es… ¿es por los cubiertos?

Clay tosió a modo de respuesta.

Bueno, esto te enseñará a prestar atención la próxima vez, ¿vale?, le reprendió Brett, antes de recordarle a Clay que debía ir usándolos de fuera adentro.

—Un brindis —dijo Charles, poniéndose en pie—. ¡Por los dragones y la reina de los dragones! —Levantó la copa en dirección a la señora Mauvais. Ella le dio las gracias con un leve movimiento de la cabeza.

La señora Wandsworth gritó:

—¡Muy bien dicho! —Y todos chocaron las enormes copas.

—Pero ¿qué bebida es esta? —preguntó Clay, mirando el líquido ambarino que tenía en la copa. Le gustaba.

—Hidromiel —dijo el señor Wandsworth—. Cerveza hecha de miel.

—Yo de ti no bebería mucho —dijo su mujer—. Después tenemos esa partida de *bridge*.

—No seas tonta. El de Clay no tiene alcohol —dijo Amber—. Puedes beber todo lo que quieras, cielo.

Clay le dio un buen trago y a continuación se rio, y el hidromiel se le cayó por la barbilla hasta el regazo:

—¡Uy!

La señora Mauvais le dirigió una mirada fría, y Clay se puso muy serio y erguido. No era ocasión para relajarse.

La comida era seguramente la mejor, sin duda la más estrambótica, y con diferencia la más frustrante que hubiera tomado Clay nunca en su vida. Era cierto lo del tamaño de las raciones: los cachitos que le ponían en el plato no tenían nada que ver con aquellas gigantescas piernas de cordero y grandes cerdos asados mordiendo una manzana que uno se imaginaba en los festines medievales. Era como si sirvieran bocanadas y vislumbres más que comida propiamente dicha. Aunque a nadie parecía importarle. Tal vez después de una cierta edad (un centenar de años, digamos) uno ya no necesitara comer.

Clay hizo lo que pudo por llenar la barriga a base de pastelitos de miel, que era lo único que se ofrecía en cantidades generosas.

—Parece que has venido con hambre —dijo Charles, mirando a Clay a los ojos—. Supongo que será la emoción de ver un dragón... por primera vez.

Clay asintió con la cabeza, moviéndola despacio. Había algo en la manera en que Charles había dicho lo de «por primera vez» que parecía un poco raro. ¿Habría oído algo de su conversación con Satya?

—Eh, bueno, sí..., esta comida es la mejor que he tomado nunca —balbuceó.

¡No digas eso!, le susurró Brett al oído—. *Blasé, ¿recuerdas?*

—Bueno, no la mejor —se apresuró a corregirse Clay—. La comida era mejor en Gistopp.

¡No!, gruñó Brett.

—¿En Gistopp? —repitió Charles, confuso—. ¡Ah, quieres decir en Gstaad! —exclamó sonriendo—. O sea que te gusta la *fondue*, ¿eh?

Clay se quedó un momento callado, escuchando a Brett.

—En realidad, eh... prefiero la *raclette*.

Charles asintió, muy diplomático:

—*Bien sûr. Moi aussi*.

Evitando encontrarse las miradas de sus compañeros de mesa, Clay miró por los grandes ventanales que tenía enfrente. Por encima del lago, en el cielo del crepúsculo, se distinguían las siluetas de dos de los dragones (*Barbazul* y *Rover*, pensó Clay, aunque no podía estar seguro). Desde allí no parecían mayores que libélulas, y sin embargo había algo en su manera de dar vueltas que mostraba con claridad su rabia y frustración. ¿Cómo iba a lograr acercarse a ellos...?

Clay se volvió para a ver a Gyorg entrando en la sala. Sin ninguna ceremonia, el musculoso esbirro de la señora Mauvais se fue hacia su ama y le susurró algo al oído. Clay aguzó el oído mientras sorbía hidromiel.

Gyorg tenía un fuerte acento eslavo, y Clay solo pudo entender dos palabras, «fuga» y «torre», pero fueron suficientes para hacerle ponerse bien derecho en la silla.

¡Gyorg tenía que estar hablando de Cass! ¡Y tal vez se refería a la torre que había visto desde el helicóptero! ¿Habría escapado de la torre o solo lo habría intentado?

Clay buscó pistas en el rostro de la señora Mauvais, pero su rostro era tan indescifrable como siempre.

—Muy bien, Gyorg —respondió fríamente la señora Mauvais—. Pero, la próxima vez, ten un poco más de discreción, si eres tan amable. Estamos a mitad de la cena.

Gyorg inclinó la cabeza breve y secamente, y se marchó.

La señora Mauvais se puso de pie, dejando la servilleta pulcramente doblada junto a su plato, del que no había probado nada:

—Lo siento muchísimo, pero tenemos que dar por terminada la cena.

Inmediatamente, los camareros empezaron a quitar los platos y a despejar la mesa. Mientras el señor Wandsworth ayudaba a su esposa a levantarse, Clay cogió un pastelito de miel de la mesa y empezó a salir de la sala, esperando poder irse sin llamar la atención. Antes de que hubiera terminado de salir por la puerta, el señor Wandsworth lo llamó:

—Nos vemos en la Sala Ryū dentro de cinco minutos para nuestra partida.

Clay se llevó las manos al vientre, en un gesto teatral:

—Es que... toda esa comida..., creo que me estoy poniendo malo...

Sin esperar respuesta, bajó la escalera corriendo y salió del castillo.

◆ ◆ ◆

Clay no paró hasta después de recorrida la mayor parte del pasillo al aire libre, cerca del sendero que llevaba a su tienda. Le dio un mordisco al pastelito de miel, pensando en la torre de vigilancia. ¿Dónde estaba, con relación al castillo? ¿Podría llegar a pie allí? ¿Qué diría si lo pillaban?

Tenía que consultarlo con sus amigos:

—¿Leira...? —susurró, y le cayeron migas de la boca—. ¿Brett...? ¿Quién de los dos está ahí ahora?

—¿Con quién hablas?

Clay se volvió y cerró la boca de golpe. Satya estaba apoyada contra una columna, y *Hermes* estaba posada, pacientemente, en su hombro.

—Eh... —Clay intentó con todas sus fuerzas no ponerse colorado—. Solo conmigo mismo. Es una costumbre rara que tengo.

—¿Como la de llevar gorro de lana en el desierto?

Clay volvió a acordarse de Brett, y no con cariño.

—Lo siento, no quería ser desagradable —dijo Satya.

Se apartó de la columna y se acercó a él. *Hermes* inclinaba la cabeza, como si estuviera escuchando atentamente la conversación.

—Tú no eres como los demás, ¿verdad? —preguntó Satya—. Tú no llevas guantes, y además comes.

—¿Cómo sabes que como?

Ella señaló el pastelillo a medias que tenía en la mano.

—Ah, sí. Claro —dijo Clay, y se echó a reír, un poco avergonzado.

—Y... —Ella señaló las manchas que él tenía en la camisa.

Aquello iba de mal en peor. Si le pudiera decir a ella la verdad, al menos podría dar una explicación a lo del gorro. ¿Podría confiar en ella?

—Eh, esto, bueno...

Una silueta que salió de la oscuridad libró a Clay de tener que construir una frase entera. La luz de la luna mostró que se trataba de Vicente, que seguía llevando el traje de safari. Pasó la mirada de su hija a Clay, y su cara de pocos amigos, que ya daba bastante miedo, se volvió aún más amenazante.

—Satya —dijo Vicente, sin quitar los ojos de Clay—. ¿No tienes tareas que hacer?

Satya le puso mala cara a su padre, y entonces Clay vio el gran parecido que había entre ambos.

—Si tú lo dices, las tendré —masculló al cabo de un rato. Parecía como si ella tuviera mil preguntas más que hacerle a Clay, pero se dio la vuelta y se fue.

Entonces Clay y Vicente se quedaron solos.

—Bueno —dijo Clay—. Creo que me tengo que ir...

Retrocedió y se fue en dirección a su tienda. Tendría que escaparse de Vicente antes de poder dirigirse a ningún otro sitio.

—Austin —lo llamó Vicente.

Clay se paró y se dio la vuelta. ¿Iba a advertirle Vicente de que no se acercara a su hija? Lo único que había hecho era hablar con ella. Aquel parecía un padre sobreprotector donde los hubiera.

—Ten cuidado ahí fuera —dijo Vicente.

—Me pareció entenderle a usted que los dragones no suponían ningún peligro para nosotros.

Vicente negó con la cabeza:

—No me refiero a los dragones.

Y diciendo eso, el hombre volvió a fundirse con las sombras tan aprisa como había aparecido de ellas.

Capítulo
11
El encuentro bajo la torre

Ahora que Clay ya no estaba interpretando el papel de turista y se dedicaba a investigar por ahí, Leira y Brett estaban ansiosos de ayudarle en las «operaciones tácticas», como decían ellos.

Primer objetivo: la torre de vigilancia. Si Cass se encontraba todavía presa allí, la liberaría. Si ya había escapado, Leira y Brett decían que le ayudarían «a seguirle el rastro». Clay no se lo creía mucho, pues si Cass se escondía del Sol de Medianoche, ¿cómo iba a encontrarla? Pero no se lo dijo a ellos tan claro.

Clay dijo a sus amigos que la torre estaba pasando el edificio de los laboratorios, como un kilómetro más adentro en el cráter.

¿Por qué no robas uno de los Land Rover, sencillamente?, sugirió Leira. *Te puedo ir explicando cómo se hace un puente para…*

¡Esa es una idea espantosa!, dijo Brett. *Hay una diferencia enorme entre que lo pillen fisgoneando por ahí y que lo pillen robando un coche.*

Creí que estaba interpretando el papel de niño rebelde, protestó Leira.

¡Rebelde sí, ladrón no!

—De todas maneras, no me serviría de nada —dijo Clay—. No sé conducir.

¿No sabes...?, soltó Leira, completamente anonadada.

—¡Todavía me queda una semana para cumplir los catorce!

¿Y...? Yo aprendí con nueve años.

Brett lanzó un bufido:

Sí, y mira adónde has llegado.

Mientras Brett y Leira reñían en sus oídos, Clay empezó a correr por el camino del laboratorio, o al menos por lo que pensaba que era el camino del laboratorio. Afortunadamente lucía la luna, y no tenía dificultades para ver, aunque no estuviera muy seguro de adónde iba.

Al cabo de cinco minutos, llegó a un puente que recordaba haber cruzado. Entonces se sintió seguro de que iba bien. Mientras se felicitaba a sí mismo mentalmente, oyó un zumbido.

¿Qué ha sido eso?, preguntó Leira.

—No lo sé. ¡Shhh...! —susurró Clay.

Vio una silueta que se acercaba a él doblando la curva y emitiendo el zumbido que los había asustado. Era uno de los guardias de seguridad del parque, que iba montado en una especie de moto de tres ruedas.

Sin tiempo para andárselo pensando, Clay se escondió entre un arbusto cercano, pero se hizo unos arañazos horribles. Esperó que esos arañazos no despertaran sospechas más tarde.

El guardia recorría la carretera despacio, observando con detenimiento alrededor de donde se encontraba Clay. Debía de haber oído algo, cuando Clay se metió en el arbusto. Sin duda alguna, la manera en que había corrido a esconderse no había resultado silenciosa ni suave.

Pero después de observar entre los arbustos, el guardia hizo un gesto de desdén, y siguió camino en su moto.

Clay esperó hasta que no oía ya otro zumbido que el de unos insectos, y entonces volvió a la carretera.

¿Y bien...? ¿Qué fue eso?, preguntó Leira.

En susurros, Clay les explicó a sus amigos lo sucedido.

Bien hecho, dijo Leira. *No se puede decir que algo sea una operación especial de verdad hasta que uno ha tenido que esconderse entre los arbustos y se ha arañado hasta hacerse sangre*.

Por supuesto, pero esperemos que el Sol de Medianoche no haya plantado hiedra venenosa, dijo Brett.

Sin molestarse en responder, Clay se dirigió hacia el puente para cruzarlo.

◆ ◆ ◆

Al final llegó a la torre de vigilancia. En lo alto, asentada sobre su elevado y destartalado sistema de vigas y pilares, había una construcción cuadrada que parecía una casa pequeña, con ventanas en todos los lados. La luz parpadeaba en las ventanas, como si dentro hubiera una televisión encendida. Abajo, pegado al sistema de vigas, había un enorme reflector redondo, como el que esperaría uno encontrar en el patio de una prisión; en aquel momento estaba apagado, pero cuando estuviera encendido debía de ser lo bastante potente para verse en varios kilómetros.

Una escalerilla estrecha y de aspecto muy peligroso subía desde el suelo a lo alto de la torre. Clay miró a su alrededor, preguntándose si sería probable que lo vieran subir. Por una parte, la torre era visible desde todos lados; por otra, estaba ya bastante oscuro, y la escalera quedaba en parte ensombrecida por el sistema de vigas y pilares. Casi todo el tiempo, iría entre sombras. Decidió correr el riesgo.

La escalerilla sonaba y vibraba a medida que él ascendía por ella, y eso le obligaba todo el tiempo a mirar por encima del hombro para asegurarse de que no sonaba ninguna alarma. No vio ninguna, pero la selva que lo rodeaba parecía moverse en la oscuridad.

En lo alto de la escalera había una trampilla. No había ninguna cerradura, o al menos no la veía, pero dudó antes de abrirla.

Apretó el lateral del gorro de lana.

—¿Y si hay alguien dentro? Quiero decir, aparte de Cass —susurró—. ¿Cuál sería mi disculpa? ¿Por qué estoy aquí?

Curiosidad, dijo Brett. *Así de simple. Recuerda que estás acostumbrado a ser el amo del mundo. ¿Por qué no ibas a mirar la torre? Estás pagando tu estancia ahí.*

Con cautela, Clay empujó la puerta...

Entonces se metió en la sala de la torre. No había nadie. Cass debía de haber escapado.

No, en realidad ella nunca había estado allí.

«Soy un idiota», pensó con los hombros caídos de decepción.

Era una estupidez pensar que Cass hubiera podido estar dentro, obviamente había entendido mal el mensaje que Gyorg le había transmitido a la señora Mauvais. Lejos de poseer los muros de un calabozo, aquella habitación tenía una vista de 360 grados del cráter. El interior estaba lleno de pantallas de ordenador, monitores de vigilancia y otras máquinas diversas que emitían lucecitas parpadeantes y pitidos.

¿Y bien...?, preguntó Leira, sobresaltándolo.

—Es una especie de torre de control —dijo Clay con un suspiro—. Decididamente, no es el sitio en que uno encerraría a un rehén.

La pantalla más grande mostraba lo que parecía ser un mapa digital en relieve del cráter. Un fino círculo rojo en el centro brillaba con una luz intermitente. Dentro del círculo, tres luces de color naranja se movían erráticamente.

Clay entrecerró los ojos para aguzar la vista.

—Creo que aquí es donde vigilan a los dragones y la cúpula, que es el campo de energía eléctrica que les impide salir volando por ahí para aterrorizar al mundo.

Mientras examinaba el confuso despliegue de tecnología que lo rodeaba, Clay fue de pronto consciente de un terrible sonido:

¡¡¡GRRUUUAAAJ!!!

Con el corazón palpitándole velozmente, Clay se dejó caer de rodillas, para no ser visto. Entonces se asomó por una ventana.

A unos veinte metros de la torre, *Copito de Nieve* estaba agachado en el suelo. Sus grandes ojos amarillos miraban de frente y fijamente, moviendo hacia los lados la cola recortada y afilada, como un gato que acecha a un pájaro.

Queriendo permanecer oculto, Clay abrió una ventana para oír mejor lo que sucedía.

—¡Señor Schrödinger, no!

A una distancia segura, justo detrás del perímetro marcado por los postes de la cúpula, la señora Mauvais estaba haciendo señas a un viejo desaliñado que estaba de pie justo enfrente del dragón. Llevaba un sombrero de paja de vaquero, y tenía un gran bigote que caía hacia los lados.

—Sea razonable y retírese del dragón ahora mismo —dijo la señora Mauvais, con una voz suave pero tensa.

Gyorg estaba al lado de ella, moviendo la cabeza hacia los lados, con gravedad:

—¡Señor Schrödinger, escuche a la señora!

Ignorándolos, el hombre al que llamaban Schrödinger dio otro paso en dirección a *Copito de Nieve*. En una mano sostenía una manzana; en la otra, una fusta de montar. Parecía dispuesto a domar un poni.

—Vamos a ver, *Copito de Nieve*. Sé buenecito —dijo Schrödinger. Tenía una voz aguda y desigual, con tonos rasposos del Viejo Oeste Americano—. ¡El viejo Schrödinger te ha traído una manzana! Vamos a hacer un viajecito de placer tú y yo.

Le tiró la manzana al dragón, que era algo así como tirarle una pasa a un caballo. Nada interesado, *Copito de Nieve* dejó caer la manzana al suelo. La cola del dragón seguía balanceándose a un lado y al otro.

Clay miraba horrorizado. En cualquier momento a partir de entonces, *Copito de Nieve* se abalanzaría contra él, y el viejo sería devorado o hecho trizas.

—Ya sé que está impaciente por volver a subirse a ese dragón, señor Schrödinger —dijo la señora Mauvais—. Quiere volver otra vez, ya lo entendemos. Pero en este momento las condiciones no son las adecuadas. Estamos llevando a cabo experimentos controlados.

Clay arrugó la cara, confuso. Daba la impresión de que aquel tipo había montado en el dragón. ¿Adónde quería volver?

—Pero ¿no lo ve? Yo nunca me fui —le respondió a gritos, sin sentido, el señor Schrödinger—. Sigo allí... ¡No estoy aquí ni mucho menos!

—Tenga paciencia, amigo. Pronto volverá a ser el mismo, se lo prometo. Y cuando lo llevemos de vuelta, será aún mejor. Volverá a ser joven.

¿Qué quería decir? A Clay le parecía bastante viejo.

—Usted no sabe de lo que habla —gritó el señor Schrödinger—. ¡Y no podrá detenerme!

Gyorg se inclinó hacia la señora Mauvais:

—Madame, déjeme entrar y agarrarlo.

—No, déjalo —dijo ella con voz de cansancio—. No hay razón para que mueras tú también. Si él quiere servir de alimento a un dragón, allá él. Siempre podremos encontrar otro conejillo de Indias.

Le echó una última mirada a Schrödinger y se dio la vuelta como para irse.

Entonces, delante de la señora Mauvais, un Land Rover frenó con chirrido de neumáticos, y Vicente saltó de él.

Empujado a la acción, el señor Schrödinger gritó:

—¡Yuuuuuuuuuuuuuujuuuuuuuuuu!

Y empezó a correr hacia el dragón, claramente tratando de saltar a su espalda, aunque había pocas posibilidades de que pudiera dar un salto tan grande. Clay contuvo el aliento, preparándose para lo peor.

Pero, justo antes de que Schrödinger pudiera alcanzar a *Copito de Nieve*, Vicente corrió hacia él y lo agarró por la cintura.

—Vale ya, payaso de rodeo —dijo Vicente, sacando al viejo del perímetro de la cúpula—. Ya has tenido bastantes emociones por esta noche. —Le dirigió a la señora Mauvais una mirada dura—. Ya le dije que era demasiado pronto para montar a nadie a lomos de un dragón. Se suponía que solo eran pruebas de velocidad. No un billete de ida y vuelta a... donde quiera que estén intentando ir.

—Gracias por tu ayuda, Vicente, pero, por favor, guárdate para ti tus opiniones —dijo la señora Mauvais—.

Ahora puedes llevarme de vuelta al castillo. Gyorg se asegurará de que el señor Schrödinger llegue a sus aposentos... y se quede en ellos.

Vicente asintió con la cabeza y soltó al señor Schrödinger.

El viejo intentó correr hacia el dragón, pero Gyorg lo agarró con fuerza por los hombros y lo levantó del suelo como si no pesara más que un niño.

—¡Cómo se atreve usted! —gritó el señor Schrödinger—. ¡Suélteme, señor mío!

◆ ◆ ◆

Clay descendió diez minutos después. Seguía repasando en la mente la escena que acababa de presenciar.

—Ese viejo, Shorringer... ¿crees que de verdad habrá montado a lomos de un dragón? —susurró Clay.

¿Cómo voy a saberlo?», dijo Leira. *«Pero pensando en ello, ¿esta no sería buena ocasión para tratar de entablar amistad como ese dragón… con ese… cómo se llama…*, Bolita de nieve?

—*Copito de Nieve*. Y uno no hace amistad con un dragón, solo hace alianzas. Pero, sí, supongo que merece la pena intentarlo.

Aunque la idea le resultaba aterradora.

Cuando llegó a la parte de abajo de la torre, sin embargo, *Copito de Nieve* ya no se encontraba en el claro. Clay caminó hacia el perímetro de la cúpula y trató de atisbar en la oscuridad, preguntándose si debería buscar al dragón detrás de los árboles, pero decidió que no. Encontrarse con

Copito de Nieve era una cosa, pero encontrarse con *Barbazul* era otra.

Sintiendo como si estuviera decepcionando a Brett y a Leira, se dirigió hacia la carretera. «Me gustaría verlos a ellos entrando en la selva», pensó. Era curioso que, incluso cuando sus amigos no le estaban haciendo comentarios, él seguía teniéndolos dentro de la cabeza.

¿Y ahora qué? Cass podía estar en cualquier parte, pensó con tristeza. Se había emocionado tanto cuando creyó entender que Gyorg decía que ella estaba en la torre... En aquellos momentos no tenía ni idea de adónde podía ir, ni de qué hacer.

Cuando se aproximó a las tiendas, oyó otros gritos furiosos.

—¡Dentro, fuera, tu lado, mi lado...! ¡No me digáis que me quede dentro! ¡Aquí no hay lados!

Era Schrödinger. Los desvaríos del viejo aún tenían menos sentido entonces que antes. Parecía que estaba loco.

Mientras Clay escuchaba, alguien tosió. Se dio la vuelta y vio a Gyorg subiendo por el sendero del castillo.

—¿Por qué estás todavía fuera? —le preguntó Gyorg con brusquedad.

—Lo siento, solo... he salido a tomar un poco el aire. —Entonces, recordando que se suponía que tenía que ser un poco chulo, no humilde, añadió—: ¿Es un delito...?

Gyorg no dijo nada.

—Eh, ¿qué le pasa a ese tipo que da gritos? ¿Quién es? —A Clay le pareció que, en aquellas circunstancias, no tenía nada de raro preguntarlo.

Gyorg lo miró como calibrando si responderle o no.

—Es el primer huésped de la Torre de Homenaje —dijo por fin Gyorg.

Se quedó mirándolo fijamente, sin moverse, hasta que Clay pronunció un incómodo «Buenas noches» y se fue a su tienda. Si quería seguir investigando, tendría que esperar.

Capítulo 12

El descubrimiento en el corral

Clay abrió los ojos de repente.

Con el corazón desbocado, se quedó en la cama, rígido, sin atreverse a moverse.

Le había despertado un rugido. Un rugido fuerte y furioso. Un rugido que sonaba demasiado cerca.

Esperaba que una silueta monstruosa apareciera en las paredes de la tienda. O que una garra larga y afilada rasgara el lienzo. O que una llamarada repentina lo redujera todo a cenizas. (Sí, claro, la doctora Paru había dicho que lo de respirar fuego los dragones era un mito, pero todavía no estaba muy convencido...).

Pasaron segundos, minutos. Y... nada.

Tal vez el dragón estuviera más lejos de lo que le había parecido a Clay. O tal vez aquel rugido se lo había imaginado en sueños.

Menudo domador de dragones que estaba hecho, temblando en su cama, asustándose de las sombras.

Clay negó con la cabeza, consternado. Tenía que estar loco para haberse quedado allí solo. Loco para pensar que sería capaz de liberar a Cass. Loco para pensar que podría marcharse volando a lomos de un dragón. No era mejor que aquel viejo vaquero chiflado, el señor Schrödinger. Estaba loco de atar.

Con un estremecimiento, recordó cómo la señora Mauvais se había mostrado dispuesta a dejar morir al señor Schrödinger. Y Schrödinger ni siquiera era un espía. Él, Clay, tendría muchísima suerte si salía de aquella con vida.

◆ ◆ ◆

Clay había intentado levantarse al alba para buscar a Cass, pero el sol ya estaba bien alto en el cielo cuando salió de la tienda y se dirigió al castillo.

Tendría que encontrar una excusa para darse el piro más tarde. Pero, pensó con tristeza, ¿para qué iba a servirle encontrarla cuando no tenía ni idea de cómo podían salir de allí?

El desayuno, se alegró mucho de descubrir, era una cosa más sencilla e informal que la cena. Había un bufé en el patio, detrás del castillo, y muy contento se llenó el plato de gofres y huevos y beicon y salchichas y después de más gofres y una tortita por si acaso.

—Veo que esta mañana ya te encuentras mejor —dijo el señor Wandsworth, mirando el montón de comida que había en el plato de Clay—. Qué pena que no te recobraras a tiempo anoche para jugar al bridge. ¿Tal vez esta tarde...?

—No le des la lata al chico, Reginald. Está claro que no quiere jugar con nosotros —dijo la señora Wandsworth levantando la nariz—. Seguro que le gustan más los videojuegos y esas cosas.

—Sí, eso es verdad —dijo Clay, haciendo esfuerzos por sonreír—. Eh... lo siento.

Eligió una mesa para él solo, y entonces dio un golpecito en el lateral del gorro:

—¿Leira...? ¿Brett...? —dijo susurrando y tapándose la boca—. ¿Estáis ahí?

Sí, y ¿sabes una cosa? ¡El campamento está a salvo! Todo el mundo se ha juntado y construido un dique increíblemente grande. Y saltándonos un poco la norma de no usar la magia, hemos dirigido toda la lava al océano.

—¡Eso es maravilloso! —Clay se sintió un poco más tranquilo—. Entonces Owen podrá volver aquí, ¿no?

Bueno, el caso es que.... Leira acababa de cambiar el tono de voz. *No nos acordamos de explicarle a Owen las novedades sobre el problema de la lava, así que él ha amerizado donde siempre lo hace... Y él se encuentra perfectamente... pero parece que la lava se ha solidificado en torno al avión... Están intentando arreglar el problema, pero podría llevar tiempo.*

—¡Estupendo! —Clay vio todo su gozo en un pozo.

Sí, menudo contratiempo..., dijo Leira. *Cómo te fue con* Bolita de Nieve*? ¿Hay alguna posibilidad de que puedas volver montado en ella?*

Antes de que Clay pudiera responder, se oyó un potente chillido.

Satya se había colocado detrás de él. *Hermes*, posada en el hombro de Satya, ignoraba a Clay muy a propósito, como si no acabara de pegar un chillido justo al oído de él.

—¿Otra vez hablando solo? —preguntó Satya—. Lo has cogido por costumbre, ¿eh?

Rápidamente, Clay se quitó el gorro de lana. Seguro que su pelo estaba hecho un desastre de tanto llevar el gorro, pero no se podía preocupar de eso en aquel momento.

—¿Por qué no? No sé si te has dado cuenta, pero soy una compañía agradable.

—Me temo que no me he dado cuenta, no —dijo Satya.

Clay no quiso mirarla para comprobarlo, pero estaba seguro de que ella hacía esfuerzos por no sonreír.

—Tendrías que verme con las llamas. Les encanta hablar conmigo —dijo Clay como si estuviera bromeando (aunque, como sabéis, estaba contando justamente la verdad).

—Vaaaaaaaale —respondió Satya riéndose—. El caso es que tenemos algunas llamas aquí.

—¿Llamas aquí?

—Sí. Muchas.

—¿Por qué?

Satya hizo un gesto de desagrado. Era demasiado desagradable para explicarlo en voz alta.

—¿Quieres decir que... sirven de comida a los dragones? —preguntó Clay, con la boca repentinamente seca.

—Horrible, ¿verdad? Pero es el ciclo vital, me temo. Los leones comen antílopes y los antílopes comen hierba o lo que sea.

Clay pensó en *Cómose* y se sintió culpable. Si alguna vez volvía a verla, tendría que disculparse ante ella.

—En serio, las llamas no tienen una vida tan mala..., quiero decir, hasta el momento de... Bueno, si quieres te las puedo enseñar. —Satya esbozó una sonrisa traviesa—. Así podrás hablar con ellas.

Clay se puso pálido, antes de comprender que ella se refería a su chiste.

—Jajá.

—En serio, ¿quieres que vayamos?

Clay dudó. Sería horrible ver las llamas, sabiendo cuál era su destino. Por otro lado, no les iba a servir de nada que hiciera como si no existieran. Si iba, al menos podría saber algo más sobre los dragones. Y tendría que saber muchísimas cosas más sobre los dragones si quería salir de allí a lomos de alguno de ellos.

—No te quiero obligar...

—No, no, quiero ir —se apresuró a responder Clay.

—Vale, pero será mejor que le preguntemos primero a ella —dijo Satya, señalando a la señora Mauvais, que estaba a cierta distancia de ellos, conversando con Charles—. No quiero ponerla furiosa. Lo hago, pero no quiero. Ya entiendes a qué me refiero.

Afortunadamente, la señora Mauvais pensó que una visita al cobertizo era buena idea.

Por desgracia, pensó que la idea era tan buena, que se empeñó en que fuera todo el mundo. Todo el mundo menos ella. Ella no se quería manchar la ropa. Amber guiaría al grupo, sustituyéndola a ella.

—Gyorg os dará las llaves —le dijo la señora Mauvais.

Y de ese modo se desvanecieron las esperanzas de Clay de ir con Satya, ellos dos solos.

Con la señora Mauvais ausente, Satya se sentía cómoda llevando con ella a *Hermes*. Cuando Clay entró en el Land Rover, otra vez puesto su gorro de lana, vio que Satya se sentaba al lado de su padre, con *Hermes* al hombro. *Hermes* alargó el cuello por delante del asiento y miró fijamente a Clay.

«Te arrancaré los ojos», parecía decir, «si te acercas un centímetro más».

El coche arrancó y salieron en dirección opuesta al laboratorio, y Clay trató de recordar cada uno de los giros en el mapa que estaba dibujando en su cabeza. E intentó no pensar en lo mucho que le picaba la cabeza bajo el gorro de lana.

Vicente aparcó enfrente de una alta alambrada que rodeaba un corral grande, el mismo que Clay había visto el día anterior desde el helicóptero. Sin duda la alambrada era lo bastante fuerte para mantener dentro a los animales, pero no le parecía que fuera de mucha utilidad para impedir que entraran ciertas bestias depredadoras. Si, por el motivo que fuera, un dragón no podía volar por encima de la alambrada, podría entrar aplastándola.

Al entrar por la puerta, Clay volvió a pensar en *Cómose*. Había al menos dos docenas de llamas, algunas de las cuales Clay se las habría visto y deseado para diferenciarlas de su amiga la llama del Rancho de la Tierra. Pastaban indolentes y se revolcaban en la tierra, aparentemente inconscientes de los dragones que merodeaban no muy lejos de allí. Compartían el espacio con otros animales, incluidos un cerdo, dos cabras, y nueve o diez gallinas que se metían por entre las patas de las llamas, picoteando el suelo.

—Han probado con otros animales, como cabras y ovejas y yo qué sé, pero los dragones prefieren las llamas —explicó Satya con naturalidad.

Señaló con el dedo un corral anexo, más pequeño, en el que se veían varias aves no voladoras:

—Son emús. Por los huevos.

Pasado el corral y el enorme cobertizo, había tres construcciones cilíndricas de color gris: eran silos. Los silos formaban un semicírculo y tenían un aspecto desagradable, como de fortaleza. Al fondo de cada uno había un par de puertas dobles, cerradas con pesadas cadenas. Clay se quedó mirando fijamente a los silos. Cuanto más los miraba, más le parecían prisiones en forma de torre.

—¿Qué hay ahí dentro? —le preguntó a Satya, aparentando toda la indiferencia posible.

—¿Dentro de estos silos...? Comida para los animales, más que nada. Ya sabes: grano, heno y cosas de esas... ¡No, de eso nada...! —Satya puso una mano en *Hermes*, que miraba con malvadas intenciones a una gallina que andaba por allí cerca—. ¡Ahora no...!

Mientras Satya intentaba evitar que *Hermes* usara de almuerzo a la gallina, Clay se escapó de ella y se acercó a un par de llamas que pastaban solas, cerca de la puerta de atrás del corral.

—*Hola, ¿cómo estáis?* —preguntó Clay en español, porque estaba acostumbrado a hablar con *Cómose* empleando lo poco que sabía de esa lengua.

Las llamas lo miraron sin comprender. Pero una de ellas ladeó la cabeza, como si intentara averiguar qué clase de animal era aquel.

—*Yo me llamo Clay. ¿Habláis español?*

Las llamas no dijeron nada.

—*¿Preferís el inglés?* —preguntó Clay en inglés.

No estaba seguro de que el idioma fuera importante, pues estaba convencido de que su comunicación con los animales operaba en un nivel distinto, más telepático. Pero por preguntar no se perdía nada.

Una de las llamas movió la cabeza de arriba abajo. Estaba diciendo que sí... o tal vez estuviera masticando.

Clay acercó la cara:

—¿Qué tal os va? ¿Está rica la hierba?

La otra llama lanzó un bufido y escupió.

—La hierba está un poco caliente a estas horas de la mañana, ¿verdad? —probó Clay—. Pero qué se le va a hacer...

Esta vez tuvo la clara impresión de que las llamas asentían con la cabeza.

Animado, Clay se arrimó y bajó la voz:

—Quiero preguntaros una cosa: esas torres de allí, donde guardan la comida... —dijo indicando discretamente, con un movimiento de la cabeza, el lugar donde se encontraban los silos.

La llama de la izquierda hizo un ruido interrogativo.

—No, no, no puedo abríroslos. ¡Ya me gustaría! —dijo Clay, sonriendo a modo de disculpa—. Solo me estaba preguntando si podrían guardar allí otras cosas, como por ejemplo un animal de dos patas... Ya sabéis, un humano como yo... Pero un humano chica... O una mujer humana, vamos —dijo corrigiéndose, pues, al fin y al cabo, Cass le doblaba la edad.

Las llamas cambiaron una mirada antes de que la de la derecha escupiera como quien no quiere la cosa y relinchara.

—¿O sea que os parece que hay alguien ahí? —preguntó Clay, tratando de no parecer demasiado entusiasmado.

La llama de la derecha se puso a hablar con la otra, y después volvió a relinchar.

—¿Que no sabéis qué aspecto tiene, pero que huele a animal de dos patas? ¿Y que por las mañanas le llevan una comida especial?

¡Bien...! Cerró un puño, emocionado. ¡Al fin sabía dónde estaba Cass!

Las llamas volvieron a relinchar, pero ahora su relincho sonaba triste.

—¿Qué? ¿Que por qué no os dan a vosotros comida especial como a ella? —Clay movió la cabeza hacia los lados, compasivo—. No lo sé, lo siento. Pero al menos vosotras no estáis encerradas dentro de un silo, ¿no? Estáis libres..., más o menos..., de momento...

Las llamas lo miraron como esperando a que terminara la idea que trataba de expresar.

—¡En cualquier caso, gracias por vuestra ayuda! —dijo Clay con alegría—. Sois muy majas.

Estaba a punto de darse la vuelta para irse, cuando ellas empezaron a empujarle con el hocico.

—¿Qué...? Vaya, lo siento. De verdad que os daría una zanahoria si la tuviera, pero... —Se encogió de hombros, en un gesto de impotencia.

Justo entonces se acercó Satya, negando con la cabeza.

—Lo tuyo es de chiste, te lo aseguro.

—¿A qué te refieres?

—A que llevas casi cinco minutos hablando con esas llamas.

—Estaba esperando a que te dieras cuenta —improvisó Clay.

No, lo cierto es que Clay creía que estaba siendo más discreto. ¿Alguien más se habría dado cuenta?

—Pues sí que me he dado cuenta, sí. No hay mucha gente que mantenga conversaciones completas con animales de granja. Con las plantas puede ser.

Satya se apoyó en la alambrada cerca de él. *Hermes* volvía a estar posado en su hombro.

Clay alargó la mano inseguro, con intención de acariciar la cabeza del ave. *Hermes* chilló furiosa, y Clay apartó la mano.

Satya se rio.

—¿Come chocolate? —Caly se sacó del bolsillo un trocito de chocolate que le había sobrado. Estaba derretido.

—No, come carne. Y, por cierto, eso es asqueroso. —Metió la mano en su propio bolsillo y sacó un trocito de carne, idéntico a los trozos que les daban a los bebés dragón—. Toma, dale esto.

Clay puso una cara rara al cogerlo.

—¿Llevabas esto en el bolsillo? ¿Y te parece que lo del chocolate era asqueroso?

Clay estaba a punto de decir algo más (algo arrebatadoramente encantador, sin duda) cuando un tintineo anunció que Amber caminaba hacia ellos, llevando un ridículo mono estilo safari de color verde.

—¡Eh, chicos! ¿Cómo va todo por aquí?

Al acercarse Amber, Clay vio qué era lo que provocaba el tintineo: el llavero de latón de Gyorg, que le colgaba a Amber de una presilla del cinturón del mono. Había tantas llaves en el llavero que Clay estaba seguro de que una de ellas tenía que ser la del silo... Pero ¿cómo podía hacerse con ella?

—Qué águila tan bonita —dijo.

—Es un halcón —le corrigió Satya.

Amber se inclinó hacia delante e intentó hacerle una caricia a *Hermes*. *Hermes* le lanzó un mordisco, aún más feroz del que le había lanzado a Clay, según notó este con satisfacción.

Insultada, Amber se apartó del ave.

—No eres el bicho más amable del mundo, me parece...

—Es un pájaro de presa, no una mascota —dijo Satya con frialdad.

Clay recordó lo que le había enseñado Leira su primer día en el Rancho de la Tierra: ¿cuáles eran las tres «des» del carterismo? Ah, sí: despistar, desposeer y desaparecer.

—Esto, Amber... —dijo Clay, actuando aprisa—, si quieres llevarte bien con *Hermes*, tienes que quedarte quieta.

Antes de que Satya o Amber pudieran ver lo que él hacía, mostró el trozo de carne al hambriento pájaro, y luego se lo puso a Amber en el brazo, exactamente como Satya se lo había puesto a él en el brazo el día anterior.

Inmediatamente, *Hermes* extendió las alas y se lanzó al trozo de carne. Amber lanzó un chillido y se apartó rápidamente. El pájaro se aferró a ella sobresaltado, agitando las alas.

—Eh, ¡lo siento, lo siento! —dijo Clay.

—¡*Hermes*, deja de hacer eso! —le gritó Satya.

A Clay el corazón le dio un vuelco. «Ahora o nunca», pensó.

Pretendiendo ayudar, se inclinó sobre Amber, desenganchó el llavero de la presilla del cinturón y se lo metió en su propio pantalón vaquero. ¡Conseguido! Se sintió muy satisfecho.

—Eh, Satya —dijo Amber enfadada cuando *Hermes* ya se hallaba descansando en la muñeca de Satya—. Ese pájaro es una amenaza. Voy a tener que hablar con Antoinette —dijo frotándose el brazo allí donde las garras del ave lo habían arañado.

—Lo siento —dijo Satya, mientras tranquilizaba a *Hermes*—. No sé qué ha pasado. No... no te acerques tanto la próxima vez.

Satya le lanzó una mirada a Clay. Si no sabía lo que Clay había hecho, lo sospechaba.

—Vamos. Los Wandsworth tienen una pregunta sobre las llamas a la que me gustaría que respondieras tú —dijo Amber, olvidando su dulce y femenino tono de voz—. Supongo que está claro que yo no sé nada de animales.

Satya lanzó una última mirada acusatoria a Clay, y después siguió a Amber. Salieron por la puerta del corral hacia el Land Rover, donde ya esperaban los demás.

Clay se sintió mal. Había actuado por impulso, sin pensar cómo su actuación afectaría a *Hermes* o a Satya. Sin embargo, tenía las llaves. No había vuelta atrás.

Mirando a su alrededor para asegurarse de que no lo miraba nadie, se fue hacia la puerta y levantó el pasador. Rápidamente, la abrió unos centímetros y les hizo una seña a las llamas más próximas para que se acercaran.

—¡Eh, chicas! ¿Queréis salir a ver el mundo? —preguntó, empujando la puerta con el pie—. Ahora tenéis la ocasión... ¡Corred!

Las llamas se quedaron mirándolo, pestañeando durante un minuto, pero después el cerdo llegó gruñendo y empujó la puerta y pasó, dejándola aún más abierta de lo que estaba. Saliendo disparado del corral, el cerdo pasó por entre las piernas de Amber, provocando que se pusiera a gritar y a llamar la atención de todo el grupo.

Enseguida las cabras, las gallinas e incluso las llamas se dirigían a la alambrada y se dispersaban en un millón de direcciones distintas. Mientras Amber seguía chillando y Charles se retiraba a la seguridad del Land Rover, Satya y su padre corrían tras los animales fugados, tratando desesperadamente de hacerles volver al cobertizo.

Los Wandsworth, mientras tanto, estaban en pie en medio de la confusión, mirándolo todo con mala cara, aparentemente confiando en que su aspecto recriminatorio impediría a los animales derribarlos al suelo.

Aprovechando que todo el mundo estaba distraído con aquel caos, Clay corrió al tercer silo. Afortunadamente, la puerta daba al lado de allá, fuera de la vista del grupo. Respirando hondo, Clay eligió al azar una llave del llavero y la introdujo en la cerradura por probar. La primera no era, y tampoco la segunda, ni la tercera, ni la cuarta, ni la quinta. Justo cuando empezaba a preocuparse, Clay probó con la sexta llave...

¡Clic!

La puerta se abrió y Clay miró dentro, tratando de distinguir cualquier forma en el interior oscuro del silo.

Un segundo después, notó un brazo alrededor del cuello, y se vio arrastrado, ahogado, dentro del silo.

Capítulo

13

Prisionera en el silo

Unos momentos antes

El escarabajo debía de haberse creído que era un lugar seguro.

Era mitad del día, en mitad del verano, en mitad del desierto. (Bueno, el desierto convertido en selva, pero eso ¿cómo lo iba a saber el escarabajo?). La mayoría de los depredadores naturales del escarabajo (las rapaces nocturnas, los osos hormigueros y pangolines, hasta las serpientes...) estaban profundamente dormidos. Y si no lo estaban, tampoco habrían podido entrar allí, en aquel lugar fresco y oscuro en el que solo se podía penetrar a través de alguna grieta de la metálica y curva pared.

Con absoluta determinación, el escarabajo cruzó por el suelo de tierra caminando de puntillas con sus seis patitas dobladas. El objetivo de su viaje: una miga solitaria que yacía en el suelo, allí donde incidía un estrecho rayito de sol.

Pero, antes de que el escarabajo pudiera alcanzar su objetivo, una mano salió rauda de la oscuridad y agarró al escarabajo.

La mano pertenecía a una mujer que tenía la nariz tiznada, que no se había lavado el pelo en varias semanas y cuya ropa negra se había vuelto, hacía tiempo, de un gris polvoriento. Y, aun así, sus orejas puntiagudas estaban tan atentas como siempre.

Sujetó al escarabajo entre el índice y el pulgar, admirando el caparazón a la luz de aquel rayito de sol. ¡Un escarabajo del desierto del Namib, adaptado a las áridas condiciones del entorno de la manera que describían los nómadas bosquimanos! En cualquier otro momento, aquel escarabajo habría constituido un excelente espécimen de estudio.

—No sabes cuánto lo siento —susurró ella.

CRRRRRRAAANCH…

Cass lanzó un suspiro de insatisfacción. Seguía con hambre, aunque no quería admitirlo. Gramo a gramo, los insectos constituyen una gran fuente de proteínas. Por desgracia tienes que comer un montón de ellos (cientos, probablemente) para igualar las que podrías ingerir en un sándwich de atún, no digamos ya en una hamburguesa. Y no es que ella comiera hamburguesas. Ella era vegetariana (bueno, una vegetariana a su modo, muy particular) desde que tenía memoria. Comía carne, incluso carne de insectos, pero solo cuando era cuestión de supervivencia.

Naturalmente, había estado haciendo todo lo posible por maximizar las raquíticas porciones que tenía a su disposición cada mañana. En el terreno enfrente de ella había diminutos semilleros que prosperaban en las partes más iluminadas por el sol: había una planta de tomate que crecía a partir de una semilla que había salido de un cachito de un tomate cherry que había aparecido en una especie de ensalada, una planta de patata crecida a partir de una patata apenas cocinada que se suponía que tenía que haber sido su cena una noche, y toda una fila de avena que provenía de un saco que tenía un agujero por el que había caído algo antes de que se lo llevaran del silo. En poco tiempo Cass tendría una verdadera granja de interior.

Basándose en las marcas que había hecho en la pared metálica, habían pasado tres semanas desde el día en que la señora Mauvais la había descubierto intentando salvar a un bebé dragón en el borde del cráter. Tres semanas que había pasado en un confinamiento «solitario», como acostumbraba a llamarlo para sí. Un juego de palabras que le parecía digno de su amigo Max-Ernest. (Yo no estoy tan seguro de eso, pero ¿quién soy yo para juzgar?). Su propósito era la autosuficiencia total. Cada día seguía un intenso régimen de ejercicios para mantener el cuerpo en perfecta forma: flexiones de brazos, abdominales, zancadas, cuclillas, seguidos por una hora corriendo sin moverse del sitio. Para mantener su cerebro en buena forma, se obligaba a recitar hechos relacionados con la escala Richter de movimientos sísmicos y con la epidemiología de las enfermedades infecciosas. Y, por supuesto, llevaba un diario, que escribía en papel que hacía machacando hierba, y usando una pluma de paloma y la tinta de hojas machacadas y de una vieja baya de goji que se le había quedado metida en un pliegue de un bolsillo.

La señora Mauvais la había ido a ver casi todos los días, segura de que podía hacer que Cass se derrumbara y le revelara todos los secretos de la Sociedad Oterces, pero Cass solo se había ido reafirmando con el tiempo, mientras la señora Mauvais se sentía cada vez más irritada: «Por tu bien, espero que ese lento y gris cerebro tuyo contenga algo de información valiosa», le había dicho la noche anterior la señora Mauvais. «La Guardiana del Secreto, te solían llamar. Pero ¿de verdad sabes cómo llegar al Otro Sitio? Me parece que no, y me estoy empezando a cansar de nuestras charlas insustanciales».

El hecho de que el Sol de Medianoche supiera de la existencia del Otro Sitio era un golpe duro. Cuánto sabían exactamente sobre ello los miembros, y qué tenían que ver con el Otro Sitio sus actividades, si es que tenían algo que ver, era algo de lo que Cass todavía tenía que asegurarse. Su esperanza era prolongar las conversaciones con la señora Mauvais lo más posible. Todas las preguntas de la señora Mauvais le daban a Cass información sobre lo que el Sol de Medianoche sabía o sospechaba. Para cuando la señora Mauvais desistiera, Cass esperaba tener una idea completa de los planes del Sol de Medianoche y, claro está, haber diseñado en detalle su propia estrategia de fuga.

Esa era la idea, por lo menos, hasta que apareció por allí el hermano pequeño de Max-Ernest.

Fueron una sorpresa el tintineo de las llaves y los intentos de abrir la puerta. La señora Mauvais tenía la costumbre de visitar a Cass de noche. A medida que la pelea con la cerradura se hacía más frenética, Cass se volvía más y más recelosa. Quienquiera que estuviera al otro lado de la cerradura, estaba claro que no era la señora Mauvais. Además, tenía que ser alguien muy patoso.

¿Lo bastante patoso para que Cass pudiera dominarlo y escapar del silo? El momento no era el mejor, pero la experiencia le había enseñado a Cass a aprovechar las oportunidades cuando se presentaban. O, en este caso, cuando entraban.

Cuando por fin la puerta se abrió y apareció un chico que estaba tratando de ver algo en la oscuridad, Cass estaba preparada y esperándolo, lista para hacerle una llave de cabeza.

—¡Ay! ¡Oh! —exclamó el intruso respirando con dificultad. Su voz era extrañamente familiar, como la voz de una estrella de comedia televisiva o de algún *youtuber*. Sin embargo, Cass no veía nunca las comedias televisivas ni los vídeos graciosos de internet.

Cass aflojó la llave de cabeza y alargó el cuello para verle la cara al intruso.

—¿Paul... Clay?

—Ahora me llamo solo Clay —respondió este, tosiendo.

Cass soltó a Clay y tiró de él hacia el interior del silo, para después cerrar la puerta.

—¿Cuándo has crecido tanto? Bueno, vamos a lo que importa ahora, ¿qué demonios haces aquí?

—Me ha enviado Max-Ernest para rescatarte —dijo Clay, sacudiéndose la camisa y los pantalones.

—Estás de broma.

—No. —Clay miró por encima del hombro—. ¡La he encontrado! —dijo emocionado.

Los gritos le atronaron los oídos:

¡Increíble!

¡Enhorabuena!

Cass se dio la vuelta. Pero no había nada detrás de ella más que la celda vacía del silo.

—Eh... ¿con quién hablas? ¿Está aquí tu hermano, en alguna parte?

—No, no... —Clay señaló su gorro de lana—. Mi gorro es como un *walkie-talkie*. Mis amigos te saludan desde el Rancho de la Tierra.

—¿Un *walkie-talkie*? ¡Esto no es un juego de policías y ladrones! El Sol de Medianoche no anda jugando, ¿sabes lo peligroso que es este lugar?

—Ella os devuelve el saludo —dijo Clay.

No digas mentiras, sabes que podemos oírla...

—¿Por qué no os tomáis un descanso y os calláis un rato?

Cass movió la cabeza hacia los lados, como diciendo no:

—¿Qué pretende Max-Ernest enviando a un niño?

—¿No fuisteis mi hermano y tú a misiones de la Sociedad Oterces cuando teníais mi edad? —preguntó Clay, bastante molesto—. Y, por cierto, de nada.

—Vale, tienes razón. —Cass levantó la mano, una tregua—. Dime, Agente Especial Paul Clay, digo Agente Especial solo Clay, ¿cuál es tu gran plan de fuga?

—Eh... —Clay se metió las manos en los bolsillos—. Escapar volando a lomos de un dragón.

—Lo digo en serio. Tienes que tener alguna idea.

—Esa es la idea.

Cass se quedó mirándolo, incrédula:

—Has estado leyendo demasiados libros de fantasía.

—Lo he hecho ya —dijo Clay, defendiéndose—. He volado en un dragón.

—Puede que tu hermano me haya contado algo sobre eso —admitió Cass.

—Bueno, pues es verdad. Creíamos que *Ariella* estaría aquí, pero, de todas formas, no veo ningún motivo para que no pueda volar en otro dragón —dijo, tratando de dar una impresión de seguridad—. Conozco el *Occulta Draco*.

—¿El qué? No importa. Dices que puedes volar en un dragón, aunque... ¿no hay algo que les impide alejarse volando?

—Te refieres a la cúpula —dijo Clay—. He encontrado la torre desde la que la controlan. Solo tenemos que ir allí, desconectarla y entonces...

—¿Encontrar un dragón y pedirle cortésmente que no nos devore?

Clay respiró hondo:

—Si de verdad quieres saberlo, se supone que Owen tenía que estar aquí también, pero lo llamaron para que volviera a la isla. Y su avión se ha quedado atrapado en la lava, así que...

—Solo nos quedan los dragones —terminó Cass.

—Sí, más o menos.

Cass asintió con la cabeza:

—De acuerdo, pues.

Ella dio una rápida vuelta por el interior del silo, diciendo adiós a sus semillas, y luego miró a Clay.

—¿Bien...?

—¿Bien qué? —preguntó Clay.

—Vamos a esa torre. Supongo que tienes la contraseña o la llave o lo que se necesite para hacerlo.

—Eh... —dijo Clay, y se calló.

Cass apretó los labios:

—Bueno, vale... Ya lo descubriremos.

—Sí —dijo Clay, con alivio—. Eh, me alegro realmente de verte.

Cass le dio unas palmaditas en la cabeza:

—Eso está muy bien, pero vamos a dejar la escena conmovedora para después, ¿vale?

—Vale. —Clay la saludó a lo militar, y se dio la vuelta para salir por la puerta.

◆ ◆ ◆

Fuera, el resto del grupo de Clay seguía tratando de atrapar a las llamas que se habían escapado.

Eso significaba que Cass y él tenían que tomar el camino más largo, pero Clay pensó que sería mejor correr en dirección opuesta. Se fueron desde la puerta del silo hacia la línea de árboles, mirando hacia atrás todo el camino para asegurarse de que no los habían visto.

Una vez a cubierto, en la selva, dieron la vuelta y empezaron a abrirse camino a través de arbustos y enredaderas. Intentaron avanzar en paralelo a la carretera, pero, aun así, estuvieron a punto de perder el camino varias veces.

Les costó más de treinta minutos llegar a ver el claro donde se alzaba la torre. Cass estaba demasiado ocupada mirando la torre para notar que Clay se había parado en seco. Ella estaba a punto de entrar en el claro cuando Clay la agarró del brazo y le puso la mano en la boca.

—¡Shhh...! ¡No te muevas!

En el suelo yacía, delante de ellos, a tan solo unos tres metros de distancia, el extremo lleno de espinas de una enorme cola verde. La cola se movió y después se apartó del camino, pero cuando se inclinaron hacia delante tratando de ver dónde había ido a parar la cola, esta regresó hacia ellos y les pasó a solo unos centímetros de distancia.

La cola pertenecía a un gigantesco cuerpo verde coronado con unas alas delicadamente plegadas. En el morro del dragón había una distintiva marca blanca.

—Es *Copito de Nieve* —susurró Clay.

—Qué mono —le respondió Cass.

Él señaló la fila de postes blancos que había a cada lado del dragón. La cola de *Copito de Nieve* sobresalía entre ellos.

—¿Ves esos postes con las luces rojas intermitentes? Envían corrientes de electricidad o de lo que quiera que usen en la cúpula. La buena noticia es que el dragón no puede salirse de esa línea. Solo hasta el collar.

—¿Y la mala noticia es...?

—Que el resto del dragón está fuera de la línea.

—Y para llegar a la torre de control...

—Tenemos que pasar por delante del dragón, sí.

Cass asintió con la cabeza, tranquila y seria.

—¿Está dormido?

—Sí... Bueno..., puede que no...

Sin moverse del sitio, vieron cómo el dragón se levantaba con esfuerzo y se estiraba. Entonces volvió hacia ellos la enorme cabeza, abriendo los orificios nasales.

—¡Ay! —chilló Clay. Pese a todo lo tranquila que parecía Cass, le estaba clavando las uñas en el hombro.

—Lo siento. —Soltó a Clay y dio un paso atrás—. ¿Nos ve?

—No... Bueno..., puede que sí...

El dragón los miraba, pero no hacía ningún movimiento.

—Si nos quisiera matar, ya lo habría hecho, ¿no? —preguntó Cass al cabo de un momento—. ¿Crees que podemos pasar así, por delante de él?

—Sí... Bueno..., puede que...

—Creí que tú eras el chico de los dragones —dijo Cass—. Vas a tener que mostrarte mucho más decidido si queremos salir de aquí.

—Vale, vamos a pasar, pero... prepárate por si hay que correr.

Con las manos sudorosas, empezaron a caminar por el claro lo más rápida y sigilosamente que podían.

El dragón los observó. Sus extraños ojos de lagarto no indicaban si estaba contento, furioso, o indiferente. Entonces, de repente, desplegó y estiró completamente una de las alas, impidiéndoles ver su rostro. Con un rápido movimiento, el dragón cambió el peso de su cuerpo de una pata a la otra, y movió el cuello. Los miró y les rugió brevemente, solo lo suficiente para darle la impresión a Clay de que estaba a punto de parársele el corazón.

Cass pasó la vista del dragón a Clay:

—¿Estás seguro de que sabes cómo manejar a estas criaturas? Es mejor que me lo digas ahora...

—Estoy seguro —dijo Clay, evitando su mirada.

El dragón había torcido el cuello y empezado a lamerse las alas. Acicalándose.

—Si tú lo dices —dijo Cass—. Parece que lo que de verdad necesitamos es la hierba esa que les gusta tanto a los gatos, pero en su versión para dragones.

En cuanto se vieron seguros, tras pasar los postes blancos, Clay le tiró a Cass del brazo y los dos corrieron hacia la torre. Cuando llegaron a la escalerilla, miraron a su alrededor. Parecía que estaban solos. Empezaron a subir.

Clay abrió la trampilla, y los dos se introdujeron en la habitación de lo alto de la torre. Cass se fue donde estaban los ordenadores y el radar, que parpadeaba y pitaba. Entonces ella se acercó a la ventana para observar aquel dragón de color verde, que ahora se desperezaba al sol.

—De acuerdo —dijo Cass—. En cuanto desconectes la cúpula, tendremos que actuar rápido. Podremos descender por un lateral de la escalerilla como si fuera una barra de bomberos y subirnos al dragón de un salto.

Clay asintió con incomodidad. No tenía sentido objetar que era imposible saltar sobre un dragón como aquel. Tendrían que intentarlo.

Su mano permaneció inmóvil por encima de un gran botón rojo que se encontraba bajo el mapa digital que registraba los movimientos de los dragones.

—Supongo que será este.

—Bueno, pues apriétalo.

Respirando hondo, Clay posó el dedo índice en el botón y apretó.

—No baja.

—Puede que primero tengas que desbloquear eso —dijo Cass, señalando un pequeño agujero de cerradura.

Clay sacó del bolsillo el llavero de Gyorg. Probó unas cuantas llaves hasta que encontró la que encajaba.

Justo cuando la mano de Clay volvía a colocarse sobre el botón rojo, Cass se puso tensa.

—¿Qué ha sido ese ruido...? ¿El dragón?

En realidad, era un coche —dijo una voz—. Aparcando.

Clay se metió rápidamente el llavero bajo la pretina del pantalón. Entonces se dio la vuelta y vio a Gyorg apuntándole con una especie de rifle.

—Es una escopeta sedante —dijo Gyorg—. No te matará, pero te dejará dormido. Lo que pasa es que, cuando te eche fuera de un empujón, seguramente morirás por la caída. —Señaló con un gesto la trampilla por la que habían entrado—. La otra posibilidad es que bajes tú mismo por la escalerilla. Elige.

La señora Mauvais estaba esperándolos abajo, con una expresión de leve interés. Tras ella, muy pagado de sí mismo, estaba Charles.

—Bueno, bueno —dijo Charles—. ¿Qué tenemos aquí, Austin?

—¿Austin? —repitió Cass.

Clay asintió con la cabeza, intentando explicarle con la mirada que debía seguir la corriente.

—Ya te decía yo que ese jugaba en el equipo contrario —le dijo Charles a la señora Mauvais—. O tal vez debiera decir «en el Otro Sitio».

A Clay le dio un vuelco el estómago. Había tenido la sensación de que Charles recelaba de él.

—No, no lo está —se apresuró a decir Cass—. No está en ningún lado. Simplemente me lo encontré.

—Alguien se dejó el candado abierto y colgado —intervino Clay—. Y yo... decidí echar un vistazo.

La señora Mauvais lo miró con abierto escepticismo.

—¿Quieres decir que yo me lo dejé abierto...? ¡Qué descuido más tonto!

—Eso le puede pasar a cualquiera —dijo Cass—. El caso es que él me vio dentro y se apiadó de mí. Hay gente así. A eso se le llama compasión. Déjenlo en paz.

—Me conoces mejor que eso, Cassandra —dijo con desdén la señora Mauvais—. Yo no dejo en paz a la gente. —Lo dijo como si se tratara de un baile nuevo que no pensara bailar nunca.

Se volvió hacia Clay:

—Parece que me equivoqué al esperar que tu padre siguiera invirtiendo en nuestro pequeño proyecto. Pero puede que tú resultes valioso de todas maneras... como rehén. Ahora saca los bolsillos para fuera para que podamos comprobar que no escondes llaves.

Con el corazón palpitándole, Clay hizo lo que le decían. Afortunadamente, no había tenido tiempo de pasar las llaves de los calzoncillos a los bolsillos.

La señora Mauvais asintió de manera cortante y después chasqueó los dedos:

—Gyorg...

Gyorg alargó la mano hacia Clay. Clay se apartó de repente, y Gyorg terminó quitándole a Clay el gorro de la cabeza.

—¡No! —gritó Clay antes de que Gyorg le cerrara la boca. Le estaban quitando su conexión con Leira y Brett y con la totalidad del Rancho de la Tierra, pero no podía arriesgarse a que lo averiguaran—. No me gusta cómo me queda el pelo aplastado —dijo en respuesta a las cejas elevadas de la señora Mauvais.

—Tienes mucho más de lo que preocuparte que de estar guapo, jovencito —dijo la señora Mauvais.

Ella se volvió hacia un Land Rover que les estaba aguardando.

—Pon a esa gentuza en algún lado, Gyorg. Ya me las veré con ellos más tarde.

Capítulo

14

Lo que se veía en la taza del váter

Mientras tanto, allá en el Rancho…

—Jonah, tío, ¿estás bien? —preguntó Pablo.

—Estoy bien.

—Llevas dos horas ahí metido. La peña se está empezando a preocupar.

—Ya te he dicho que estoy bien. Ábrete.

—Pero es que además la gente necesita entrar. Tú no eres el único en el campamento que tiene funciones corporales.

—Diles que se busquen un árbol.

—Déjame que hable yo con él —le dijo Kwan a Pablo.

Estaban de pie, haciendo cola enfrente de los aseos favoritos de todos. Favoritos porque estaban aislados en una colina, y por tanto eran más privados que los otros (normalmente). También porque no tenían tejado, y por eso no olían mal, y hasta tenía vistas.

—Jonah, si no has conseguido plantar el pino en dos horas, ya no lo vas a plantar —dijo Kwan—. Así que súbete los pantalones, abre la puerta y traslada ese trasero taponado a la Yurta Pota. La enfermera Cora te dará algo que te aliviará enseguida.

—Y si ella no puede, a mí me queda un poco de ese chicle explosivo que hice —dijo Pablo—. Puede que te sirva.

—Tíos, sois repulsivos —dijo Jonah desde el otro lado de la puerta—. Y, para vuestro conocimiento, no estoy intentando hacer caca, ¿vale?

Sus amigos se miraron uno al otro:

—¿No...?

Leira y Brett se acercaron.

—Creo que está preocupado por Clay —susurró Leira. Levantó el *walkie-talkie* en forma de caracola—. Le dijimos que la línea telefónica se había interrumpido.

—Seguramente está llorando ahí dentro —dijo Brett sin pronunciar las palabras, solo gesticulando con los labios—. Pero no digáis nada, ¿vale?

—Jonah, ¿estás llorando ahí dentro? —preguntó Pablo en voz alta, sonriendo a los demás—. Brett piensa que estás llorando.

Brett puso los ojos en blanco.

—A nosotros no nos molesta... puedes llorar delante de nosotros —dijo Kwan—. Que no te dé vergüenza.

—¡Claro, pórtate como un hombre y echa esas lágrimas fuera, tío! —dijo Pablo.

—Además, solo estamos nosotros. No te vayas a pensar —Kwan miró la fila de los que esperaban y los contó— que hay diez tíos esperando para usar el aseo, ni mucho menos.

—Vale —dijo Jonah—. Si tantas ganas tenéis de ver lo que estoy haciendo, entrad y vedlo por vosotros mismos.

—No, no, muchas gracias, en otra ocasión —se apresuró a decir Kwan.

—Claro, tío, tus asuntos... son tus asuntos —dijo Pablo.

Se abrió la puerta, y Jonah les hizo señas para que entraran. Estaba de pie y completamente vestido.

—No, por favor, entrad —dijo Jonah—. Insisto.

A regañadientes, sus amigos entraron, apretujados.

—Bueno, es muy acogedor —dijo Brett con alegría—. Gracias por invitarnos a pasar.

—Mirad... —Jonah señaló la taza del váter.

—¿Es necesario? —preguntó Leira.

—Sí.

Los cuatro invitados de Jonah miraron dentro de la taza del váter y se alegraron de no ver nada más que agua.

—¿Qué es lo que estamos buscando? —preguntó Brett—. Solo por curiosidad.

—¿No veis una formas que giran?

—La verdad es que no.

—¿O algo como chispas o brillos?

—Nanay.

—Supongo que es porque no tenéis segunda visión. —Jonah apartó a sus amigos del medio y miró él mismo dentro de la taza del váter. Yo no quería decirlo, porque me da un poco de apuro, pero aquí es donde tengo mis mejores visiones.

Leira se rio:

—O sea que no estabas llorando en el aseo. Estabas...

—Teniendo visiones, sí. Y no es un chiste —dijo Jonah—. He estado intentando ver lo que pasaba con Clay, pero está en la otra punta del mundo, y yo no he estado allí nunca, cosa que lo hace más difícil...*

Entonces Jonah se acercó un poco más.

—Espera, ¡creo que estoy viendo algo! —exclamó emocionado.

—¿Es amarillo o marrón? —se burló Pablo.

—Cállate, esto va en serio.

El agua de la taza del váter, que había estado reflejando el claro cielo azul, parecía oscurecerse en aquel momento.

Jonah se acercó más, intentando discernir qué podía ser aquella mancha gris del agua.

—Creo que puede ser el cuerpo de un animal, y eso... ¿pueden ser alas?

Los demás ahogaron un grito cuando la visión se volvió más clara en la taza del váter.

—¡Es un dragón! —gritó Jonah—. Pero ¿qué sucede? ¿Está atacando a Clay?

Con el corazón en un puño, Jonah se concentró aún más en lo que le mostraba la taza del váter. Los rasgos del

---

* Cuando tiene visiones, un adivino mira en una superficie reflectante para ver un suceso, ya sea futuro, pasado o simplemente lejano. Normalmente, esto se hace con un espejo o una bola de cristal, pero uno puede tener visiones en cualquier viejo objeto reflectante que haya en la casa, por ejemplo el papel de plata de una libra de chocolate, después de que quede completamente rechupeteado. Jonah usa una taza de váter. Sin embargo, no estoy sugiriendo que sigáis su ejemplo, a menos que el pasado que tratáis de ver sea vuestra última comida.

dragón se volvían cada vez más claros, y cada vez más cercanos, como si el dragón se acercara derecho a Jonah—. ¡Se está haciendo más grande y tiene un aspecto feroz! —gritó.

Leira le dio una palmadita en el hombro, pero él no le hizo caso.

—¿Dónde está? —preguntó asustado, sin dejar de mirar al agua—. ¿Adónde va? ¿Ya le ha atacado? Clay, amigo, ¿me oyes?

Leira pasó, de las palmadas en el hombro, a zarandearlo. Finalmente, Jonah se levantó un poco.

—¿Qué quieres? ¡Ahí hay un dragón, no sé dónde, pero pienso que se podría estar comiendo a Clay!

—Hay un dragón, de acuerdo, pero a Clay no se le ve por ningún lado —dijo Leira.

—¿Eh...?

—Eso no era una visión, sino un reflejo.

Jonah miró a su alrededor. Todos sus amigos estaban mirando hacia arriba, estirando el cuello.

—¡Ah, vaya...! —dijo cuando finalmente vio lo que estaban viendo los demás—. En el váter parecía más pequeño.

Descendiendo sobre la isla, como una gran águila que regresara a su nido, volaba un dragón: el dragón conocido por el nombre de *Ariella.*

Capítulo 15

Prisionera en el silo, 2

—Aquí empieza la cosa —dijo Cass, moviendo la cabeza hacia los lados en señal de negación ante el trozo de tierra recién pisoteada—. ¿Sabes lo duro que trabajé para hacer que germinaran esas semillas?

Cass se fue hacia la puerta, donde ahora estaba apostado un guardia de seguridad las veinticuatro horas del día. Ella y Clay no podrían ni estornudar sin que se enterara la señora Mauvais.

—¿Habéis esperado a cogernos antes de destruir mi huerta? —gritó Cass hacia la puerta—. ¡Extrañas prioridades, la verdad!

«Yo podría decir lo mismo de ti», pensó Clay, pero no lo dijo en voz alta.

Clay se sentó contra la pared, dejándose caer con la barbilla en las rodillas. Deseaba que Cass parara de gritar, para poder entristecerse en silencio. Había fallado... total, profunda, rotundamente. No, era peor que eso. ¿Cómo se llamaba cuando uno fracasaba por partida doble? En lugar de rescatar a Cass, había conseguido que lo apresaran con ella; ahora, en vez de un prisionero, había dos.

Lo único que podían hacer era sentarse a esperar... ¿A qué? ¿Quién iría a salvarlos? Owen y la plantilla del Rancho de la Tierra no podían salir de la isla, gracias al apetito que sentía el volcán por los hidroaviones, y ¿quién más había? ¿Max-Ernest? Sí, claro, pensó Clay. Podía quedarse tranquilo.

Cass dejó de caminar y miró a Clay como si lo viera por primera vez:

—¿Clay...? Espero que no te estés deprimiendo —dijo con severidad.

—Pues sí, eso es exactamente lo que estoy haciendo.

—Eso es ridículo. Las cosas podrían estar mucho peor.

—¿Peor...? —dijo Clay, exasperado—. ¿Cómo?

Cass se encogió de hombros.

—Podríamos estar atrapados aquí con uno de esos dragones. O nos podrían estar torturando para sacarnos información. O nos podrían enviar por barco a alguna prisión supersecreta del Sol de Medianoche en la Antártida...

—¡Tienes razón! En realidad, no quería ejemplos —dijo Clay—. Pero es que no me puedo creer que haya metido la pata tan a fondo.

—No te culpes. Eso es como compadecerte de ti mismo.

—Gracias —dijo Clay con sarcasmo—. Eso me hace sentirme mucho mejor.

Cass parecía a punto de continuar con el sermón, pero se paró y se sentó junto a Clay.

—Mira, en los viejos tiempos tu hermano y yo nos hemos visto metidos en líos peores que este, y siempre hemos salido de ellos.

Eso era lo último que Clay quería oír:

—Ya, ya —susurró—. Mi hermano nunca la habría cagado de esta manera. Y estoy seguro de que si estuviera aquí, me cantaría las cuarenta. —Se quedó un momento callado, y luego añadió—: Si es que se dignaba a dirigirme la palabra.

—Eh, ¿perdona...? —dijo Cass, echándose hacia atrás para observar a Clay—. Max-Ernest la ha cagado un montón de veces, créeme. Y hay que reconocer una cosa: tendrá un montón de defectos, pero no hablar no es uno de ellos.

—¿De verdad? —dijo Clay con sorna—. La última vez que lo vi, la única vez que ha venido a verme en dos años, es verdad que habló muchísimo, sí, pero contigo, por el teléfono. Conmigo solo habló un minuto, y fue sobre el tipo de casco que me tenía que poner yo cuando montaba en monopatín. No creo que las lecciones de seguridad cuenten como tiempo dedicado a profundizar en el cariño fraternal.

Cass lo miró con algo que parecía compasión.

—¿Tú sabes de qué me hablaba aquel día? —preguntó ella.

Clay negó con la cabeza.

—Estaba intentando convencerme de que no viniera aquí sola. —Contempló el silo prisión en torno a ella—. Y, visto en retrospectiva, tengo que reconocer que tenía razón.

—Vale, o sea que ni siquiera consiguió convencerte para que no vinieras a una misión suicida... (lo siento, pero es la verdad), y en el instante en que colgó el teléfono, se marchó a México con ese tal Anthony. Casi ni se despide.

—Bueno, él y Anthony tenían que hablar con ese hombre que se llama Perry sobre la Torre de Homenaje.

—¿Perry? ¿Te refieres al padre de Brett, al tipo que secuestró a *Ariella* para el Sol de Medianoche?

—Bueno, hiciera lo que hiciera en el pasado, ahora es un hombre acabado. El Sol de Medianoche le dio una paliza y lo dejó en la cuneta en Baja California. Más o menos.

—Se lo merece —dijo Clay, recordando el momento en que el padre de Brett los dejó a él y a su hijo bajo el volcán para que murieran.

—Tal vez... El caso es que tu hermano y Anthony no sacaron nada en limpio de él, pero tenían que intentarlo. —Cass lanzó un suspiro—. En cualquier caso, estoy seguro de que se lo pasaron bien. Fue su primer viaje juntos y tal.

Clay la miró con recelo:

—Un momento. ¿No querrás decir juntos... juntos?

—Ah, pero... ¿no lo sabías? —preguntó Cass, aturullada.

Clay negó con la cabeza.

Cass podía notar el trabajo que le costaba a Clay procesar las implicaciones de lo que le había dicho.

—¿Te sorprende que esté con un chico?

Encogiéndose de hombros, Clay pensó en ello:

—Supongo que me sorprende que esté con alguien, para empezar.

Cass sonrió:

—Comprendo lo que quieres decir. Max-Ernest no es precisamente un ligón. —Le dio un golpecito a Clay con el hombro—. Por eso precisamente tendríamos que alegrarnos por él, ¿no?

—Supongo que sí —dijo Clay, no completamente convencido.

—Pero también entristecernos un poco por Anthony —bromeó Cass.

—Sí, eh... —respondió Clay riéndose—. Espero que le gusten los chistecitos. Que le gusten mucho.

(Me temo que no le encuentro la gracia a este).

—Al menos no le faltará el chocolate —reflexionó Cass.

—¿Y qué me dices de ti? —preguntó Clay—. ¿Tú no estabas con Yo-Yoji?

Cass echó para atrás la cabeza y se rio tan fuerte que retumbó en el silo.

—¡Eso fue hace un montón de tiempo! Yo-Yoji ha tenido un montón de novias desde entonces. Anda por el mundo ganándose la vida como *discjockey*. ¿Sabes que ahora diseña su propia línea de productos? Comenzó con auriculares. Ahora tiene carcasas de teléfono, zapatillas, gafas de sol... —Cass movió la cabeza hacia los lados, como negando, perdida en recuerdos—. Cuento con él para empezar a fundar la Sociedad Oterces.

—¿Y tú...? —preguntó ella—. Pareces un poco más... avanzado que Max-Ernest y yo cuando teníamos tu edad... ¿Tienes novia?

—Eh, no, pero... —Clay pudo notar cómo se le enrojecía el rostro. Dio gracias de que estuviera tan oscuro.

—¿Te gusta alguna chica?

—Más o menos. —Clay evitó encontrar los ojos de Cass.

—¿Y ella tiene novio...?

—No creo...

Justo en ese momento, se oyó un potente golpe metálico procedente de arriba, y después un graznido a modo de respuesta.

Clay miró hacia arriba, sorprendido. El halcón de Satya, *Hermes*, había entrado por un respiradero y estaba descendiendo hacia allí, llevando algo colgado del pico.

—Lo que sí tiene es un pájaro —dijo, mirando fijamente hacia arriba.

—¿Ese pájaro?

—Ajá... ¡Ay!

Hermes se posó en el hombro de Clay, clavándole las garras en la piel, y le dejó caer el gorro de lana en el regazo.

—Gracias —le dijo Clay a *Hermes* con toda la tranquilidad de que fue capaz.

El halcón inclinó la cabeza, complacido, y a continuación, con la labor realizada, se levantó y ascendió y volvió a salir por el respiradero, dejando a Clay frotándose el hombro.

Dentro del gorro había un papel doblado. Cass levantó una ceja:

—Bueno, eso sí que es enviar una carta de amor con estilo.

Enrojeciendo aún más, Clay la abrió. Satya había garabateado unas palabras a lápiz:

Estad preparados en cinco...

Leyendo por encima del hombro de Clay, Cass sonrió:

—Mmm... Me parece que me cae bien esa chica.

◆ ◆ ◆

Estaban aguardando junto a la puerta cuando Satya entró en el silo, dejando la puerta abierta, pero solo una rendija. Llevaba a *Hermes* posada en su hombro.

—¿Estáis preparados?

Clay asintió, con el gorro otra vez puesto.

—¿Qué ha sido del guardia?

Satya sonrió y le mostró un *walkie-talkie:*

—He usado el *walkie-talkie* de mi padre para llamarlo y que se fuera a otra parte. Pero no estará lejos mucho rato. Tenemos unos tres minutos para salir de aquí, como mucho. —Miró a Cass—. Por cierto, yo soy Satya.

—Yo, Cass. Y gracias —respondió Cass.

—Sí, gracias. Esto es tan... sorprendente... —Después de su conversación confesional con Cass, a Clay le estaba costando mirar a Satya a los ojos.

Se fue hacia la puerta, pero Satya le apretó una mano contra el pecho.

—Espera..., primero quiero saber quién eres. De verdad.

—Quería decírtelo —dijo Clay con impaciencia—, pero...

Cass los agarró a ambos por el hombro:

—No quiero estropear el momento, pero ¿no podemos dejar esto para después?

—Por supuesto. —Satya asintió con la cabeza y volvió a abrir la puerta.

—¡Clay! ¡Me llamo Clay! —exclamó Clay mientras los tres se alejaban corriendo.

Capítulo
16

La carrera a través de la selva

Mientras corrían a través de la selva, con Cass mandándolos callar y apresurarse a cada paso, Clay hacía todo lo que podía por explicarle a Satya quién era, por qué había ido a la Torre de Homenaje, y cómo planeaba escapar. E incluso, aunque no fuera estrictamente necesario, le aclaró por qué llevaba gorro de lana con aquel calor. Tenía que explicárselo para que ella no pensara que él lo llevaba porque le pareciera guay.

En otras circunstancias, su historia sobre un campamento mágico para delincuentes juveniles y una sociedad malvada de centenarios alquimistas, por no mencionar su deseo de convertirse en domador de dragones y seguidor del *Occulta Draco*, habría parecido muy inverosímil, por decir poco. Sin embargo, Satya llevaba semanas viviendo entre el Sol de Medianoche y había visto dragones de cerca, así que estaba dispuesta a creerle.

—Tal como te vi comportarte con Houdini, me di cuenta de que estabas demasiado cómodo para que fuera la primera vez que te encontrabas con un dragón.

Como era de suponer, la parte de la historia de Clay que a Satya le costaba más trabajo aceptar era la que se refería a la manera en que él y Cass pretendían huir.

—Hay que ser realista: uno no puede irse volando en uno de esos dragones. En primer lugar, está la cúpula eléctrica, ¿recuerdas? —Satya señaló al cielo—. Además, yo no sé cómo sería *Ariella*, pero estos dragones de aquí no son como para montarlos de un saltito.

—¿Y qué me dices del loco ese del bigote y el sombrero de vaquero? —preguntó Clay, intentando disimular que se estaba quedando sin resuello—. Sorringer o algo así. Estaba intentando montar a *Copito de Nieve* como si fuera un caballo. Hasta llevaba un látigo en la mano...

Clay levantó un látigo invisible, imitando al personaje. Satya lo miró como si estuviera loco, hasta que cayó en la cuenta.

—Espera, ¿estás hablando del señor Schrödinger? Me dijeron que se había ido...

—Bueno, puede que se le haya ido la cabeza, pero el resto sigue por aquí. —Clay casi tropieza en una raíz, pero entonces se puso derecho—. Entreoí un poco de lo que decía, y daba la impresión de que ya había cabalgado al dragón antes. No dejaba de parlotear, diciendo que tenía que volver a no sé dónde, y que nunca se había ido realmente.

Cass se detuvo y volvió la vista a Clay:

—¿Qué más decía?

—Eh... No mucho. Nada que tuviera sentido, la verdad. La señora Mauvais le prometió que podría volver al final, y que cuando lo hiciera, volvería a ser joven.

—*Volvería a ser joven*... ¿Dijo esas palabras exactas? —preguntó Cass, de repente.

—Eeeeh... —dijo Clay, sorprendido por su tono de voz—. Quiero decir, me parece que sí.

En silencio, ella se quedó pensando sobre lo que acababa de decir Clay. Clay se volvió hacia Satya:

—Bueno, en cualquier caso, todavía tengo las llaves de Gyorg, así que puedo desconectar la cúpula si...

Satya movió la cabeza en señal de negación:

—No puedes volver a la torre de control. Seguro que ahora la están vigilando. —Titubeó—. Pero, no sé, si fuera algún otro... Por ejemplo, yo...

—De eso nada —se apresuró a decir Clay—. Ya has hecho bastante.

—Muy caballeroso —dijo Cass—. Pero ¿no es ella la que tiene que tomar la decisión?

—Pero el caso es que, si apagamos la cúpula —dijo Satya—, se escaparán también los otros dragones, y atacarán a todo el mundo. No es que me guste esta gente de guantes blancos, pero tampoco quiero matarlos. Además, despedirían a mi padre.

—Confía en mí, es mejor que tu padre no trabaje para ellos —dijo Cass.

—Y, en cualquier caso, aunque se escaparan, los dragones seguirían con el collar puesto —dijo Clay—. Así que tu padre todavía podría controlarlos, ¿no?

—Tal vez. Una vez que la cúpula volviera a conectarse —dijo Satya—. Pero sería mejor no dejarlos salir.

Pasó la vista de Clay a Cass y de Cass a Clay:

—Vale, si me das la llave, provocaré un motivo de distracción, y a continuación desconectaré la cúpula. Pero solo durante, digamos, un minuto. En serio —levantó el índice—: un minuto. Y tiene que ser de noche para que nadie me vea. Digamos que exactamente después de la puesta de sol.

—Eso tiene que ser a eso de las ocho y veintiún minutos de esta noche —dijo Cass. En respuesta a la mirada de Satya, Cass se encogió de hombros—. Siempre viene bien saber a qué hora se pone el sol, por si acaso.

—Vale. Digamos que cuatro minutos después, para daros tiempo. A las ocho y veinticinco apagaré la cúpula. Y será mejor que os encontréis a lomos de un dragón y volando a toda prisa, porque un minuto después... —Profirió una especie de zumbido para indicar que volvería a conectar la electricidad de la cúpula.

—Te darás cuenta de que los del Sol de Medianoche no van a mostrarse muy contentos contigo si te pillan... —dijo Cass.

—No me pillarán —respondió Satya confiada.

—¿Estás segura? —insistió Clay—. Porque podemos hacerlo nosotros, en realidad...

—No, no podéis hacerlo vosotros solos, y va a ir bien.

—Vale, gracias —dijo Clay con incomodidad—. Es realmente amable por tu parte.

—Sí, es verdad —dijo Satya en tono serio—. Bueno, ¿dónde os vais a esconder mientras tanto?

Clay se quedó mirando la selva:

—Creo que es hora de que establezca una alianza con un dragón.

—¿Una alianza?

—Sí, una alianza... Así es como llaman en el *Occulta Draco* a cuando uno se hace amigo de un dragón. Solo que uno ni siquiera se puede hacer amigo de un dragón. Así que... sí.

Tanto Cass como Satya le guiñaron un ojo.

—No nos estás inspirando lo que se dice confianza —dijo Cass.

—No, no os preocupéis —dijo Clay haciendo un esfuerzo por aparentar buen humor—. He leído todo lo que hay que leer sobre el tema, y dispongo de un par de horas, ¿no?

—Si tú lo dices... —dijo Cass mirando hacia arriba y poniendo mala cara.

Mientras hablaban, las nubes se habían abierto y aquella misteriosa raya había vuelto a aparecer en el cielo. Brillaba a la luz del sol.

—Esa raya en el cielo... la vi hace tres semanas. ¿Ha estado ahí todo este tiempo?

Satya se encogió de hombros.

—Creo que sí. Aunque la verdad es que solo la veo a veces. ¿Por qué?

—Estoy pensando en mi misión original, nada más —dijo Cass, que seguía concentrada en el cielo—. ¿Qué están haciendo realmente aquí con los dragones? Ese tal Schrödinger... Tengo el presentimiento de que él podría ser la respuesta. —Cass miró a sus jóvenes compañeros—. ¿Dónde podría encontrarlo?

—Eh... está en una de las tiendas, a menos que haya vuelto a salir —dijo Clay—. Pero no estarás pensando en ir ahora, ¿verdad?

—Nos vemos a la caída de la noche.

—¿Dónde? —preguntó Clay cuando ella salió corriendo.

—Al borde del claro, donde la torre —gritó Cass por encima del hombro.

Y diciendo esto, desapareció en la oscuridad de la selva sin senderos, dejando solos a Satya y a Clay.

—Yo tengo que volver —dijo Satya—. Van a ponerse muy furiosos cuando se den cuenta de que os habéis vuelto a escapar.

Empezó a marcharse, pero se detuvo:

—¿Qué pasa? —preguntó Clay.

—Nada. Es solo que... tu reloj funciona, ¿verdad?

Clay asintió con la cabeza, muy agradecido, de repente, de que Owen le hubiera dado el reloj.

—Bien. Recuerda: a las 8.25.

—Lo recordaré. Y tú no olvides esto... —Clay le entregó el llavero de Gyorg, en el cual sobresalía la llave de la cúpula eléctrica—. Eh, Satya...

—¿Sí...?

—Bueno, ahora que sabes quién soy...

—¿Qué?

—Nada —dijo Clay con impotencia. No habría sabido cómo decirle que le gustaba, ni siquiera aunque hubieran estado en el mundo normal y no en una situación increíble y tan peligrosa.

Satya lo miró, un poco confusa.

—Bueno, vale. Estaré en la torre de vigilancia esta noche —dijo, y entonces se volvió para irse. *Hermes* chilló algo que Clay esperaba que quisiera decir «a ella también le gustas», aunque sonaba más a «tengo hambre». Y salió volando tras ella.

De repente, Clay se sintió muy solo. Dio un golpecito en el lateral del gorro de lana, esperando oír al otro lado a sus amigos del Rancho de la Tierra. No hubo respuesta.

Repitió los golpecitos. Nada tampoco. ¿Le habría sucedido algo al gorro mientras estaba lejos de sus manos?

Clay lanzó un suspiro. ¡Bueno, no importaba! Leira y Brett no iban a poder aconsejarle sobre cómo establecer la alianza con el dragón. Pensó si quitarse el gorro, pues le daba tanto calor y le picaba tanto como siempre. Pero prefirió no hacerlo. Incluso si no funcionaba, le hacía sentirse un poco más conectado a sus amigos.

Capítulo
17

Fuego en el vientre

Clay tenía demasiada estima al *Occulta Draco* y a la entera idea de convertirse en un domador de dragones para pensar mal de aquel antiguo manual de instrucciones o libro de memorias, pero yo no tengo tales escrúpulos: creo que era, y es, un documento singularmente inútil.

Clay recordaba bien la página de *Secretos del Occulta Draco* en que habla de las alianzas. Según el autor, la mayoría de los domadores de dragones entablaban una alianza por medio de un obsequio, o bien haciendo un favor, o bien cantando una canción. Bueno, él no tenía nada que regalar ni se le ocurría ningún favor que pudiera hacer; y en cuanto a lo de cantar, apenas conseguía entonar una melodía.

Tendría que improvisar.

Durante la vuelta que habían dado en el helicóptero, había visto a los tres dragones adultos descansando por el gran lago que se hallaba en el centro del cráter. Si no se encontraba antes con ninguno de ellos, decidió, iría para allá. Su esperanza era encontrar un dragón antes de que un dragón lo encontrara a él.

Respirando hondo, pasó entre dos postes y cruzó el límite de la cúpula.

Clay podría no tener buena voz para el canto, pero a diferencia de su hermano mayor, tenía un buen sentido de la orientación (tal vez porque lo habían dejado que se las apañara solo de niño). Buscando reveladoras huellas de dragón, escuchando para oír reveladores pasos de dragón e incluso olfateando en busca de reveladoras... esto... ¿cómo llamarlas?, digamos «tartas» de dragón, Clay se adentró cada vez más en la selva, sintiendo un continuo terror ante la posibilidad de que lo pillaran desprevenido.

Enseguida pudo ver grietas de luz entre los árboles y oír algo que parecía una cascada lejana. Un momento después, la selva se acabó de pronto, y Clay tuvo que entrecerrar los ojos para defenderse de la deslumbrante luz del sol vespertino. Había encontrado el lago, pero hasta el momento no había encontrado ningún dragón.

Empezó a caminar por la orilla, buscando cualquier garra o cola que pudiera asomar desde detrás de una roca, tratando de oír el sonido de un rugiente bostezo o un ruido de tripas que procediera del interior de una cueva escondida. El lago estaba completamente claro, y Clay podía distinguir el fondo de arena, seguramente la única parte del cráter que conservaba el mismo aspecto que tuviera antes de llegar el Sol de Medianoche.

A continuación Clay oyó fuertes chirridos metálicos que le erizaron los pelos del cuello. Procedía de cierta distancia, junto al lago, por el lado de dentro de la línea de árboles.

Clay avanzó con precaución, asomándose por detrás del tronco de un banano gigante. Allí estaba *Copito de Nieve*, de pie sobre las dos fuertes patas traseras. Siendo el más pequeño de los tres dragones, *Copito de Nieve* parecía sin embargo enorme en aquella postura. Estaba apoyado contra una roca grande y se rascaba el lomo y el cuello contra ella. Por la expresión de su rostro, el dragón se las veía y se las deseaba para rascarse en el punto preciso en que le picaba.

Mientras Clay observaba, sin saber muy bien qué hacer, el irritado dragón soltó un rugido de fastidio y se desplomó sobre su enorme y escamoso trasero.

¿Tendría Clay un medio de ayudarle?

Salió de detrás del árbol y se acercó lentamente.

—Hola, amigo —dijo Clay, poniendo una gran sonrisa—. ¿Qué haces? No puedes llegar a ese sitio que te pica, ¿a que no? —Avanzó un paso, y luego dos—. Odio cuando eso me pasa a mí.

Copito de Nieve se volvió hacia Clay y le dirigió una mirada hosca y dura.

Para sus adentros, Clay se reprochó su actuación, recordando cómo había reaccionado *Ariella* cada vez que Clay sugería que había alguna semejanza entre los humanos y los dragones. Pero al menos *Copito de Nieve* parecía comprenderle.

—¡Lo siento! —dijo Clay—. Tienes toda la razón. No puedo entender lo que tú sientes, ni mucho menos. Solo soy una miserable criatura que no es capaz de volar ni de hacer nada realmente bueno.

Se detuvo un momento, y después dio otro paso.

—Nunca me atrevería a subir ahí a menos que tú quisieras que te rascara. Por supuesto, en caso de que realmente te esté picando. Hay veces en que uno necesita un segundo par de manos... o garras, o lo que sea.

Copito de Nieve siguió mirándolo con dudas, pero parecía meditar sobre el ofrecimiento de Clay. Con un bufido de resignación, el dragón se dejó caer sobre su estómago, plegando las alas a los costados y doblando las patas de delante bajo el cuerpo, como hacen los gatos.

Clay miró a su alrededor aprisa y vio una palma de palmera caída en el suelo. Se le habían caído las hojas, dejando un largo borde dentado.

—Esto tiene pinta de ser un buen rascador para la espalda, ¿a que sí?

Levantando la palma para que *Copito de Nieve* la pudiera ver, Clay se acercó despacio. El dragón siguió sus movimientos con un oscuro ojo que no parpadeaba. Con cautela, Clay se apoyó contra un costado del dragón, sintiendo cómo subía y bajaba su gran barriga con la respiración. Se estiró todo lo que pudo con la palma y empezó a rascar la cresta del lomo de *Copito de Nieve*.

—¿Aquí...? No, un poco más arriba... ¿Aquí? Vale, a la izquierda...

Clay rascó y rascó, siguiendo las indicaciones de *Copito de Nieve*, hasta llegar a lo largo del cuello del dragón. Clay se quedó un momento confundido ante cierto extraño zumbido, que luego comprendió que procedía del brillante collar de acero que rodeaba el cuello de *Copito de Nieve*.

—Eh... ah... —Clay se paró, pues le daba miedo acercarse más a aquella misteriosa pieza de tecnología. Pero el dragón torció el cuello, apremiando a Clay a que siguiera, hasta que Clay lo entendió y deslizó el extremo de la palma por debajo del collar y empezó a rascar lo mejor que podía.

El dragón cerró los ojos e hizo un ruido sordo que se parecía a un ronroneo.

—Ya veo que lo he encontrado, ¿eh? —dijo Clay, rascando más fuerte. No estaba seguro de con cuánta fuerza les gustaba a los dragones que los rascaran, pero no parecía fácil hacerle daño en aquellas escamas duras como el acero.

¿Podía realmente establecer una alianza tan fácilmente?, se preguntó Clay. ¿Qué pasaría si intentara subirse al lomo del dragón justo en aquel momento?

Estaba a punto de pedirle que se dejara montar cuando de repente el dragón movió la cabeza hacia un lado y golpeó a Clay, haciéndole caer de culo.

—¡Eh! —exclamó Clay, levantándose—. ¿Qué es lo que he hecho?

Con un movimiento indiferente del ala, el dragón golpeó a Clay, alejándolo de sí. Estaba claro que daba por concluida la sesión de rascado.

Pestañeando despacio, *Copito de Nieve* se estiró, y después se recolocó. Daba la impresión de que se disponía a echarse una siesta. Viendo que Clay permanecía allí, el dragón volvió a golpearle. Clay se hizo hacia atrás, evitando apenas las garras afiladas como cuchillos al final del ala de *Copito de Nieve*.

«¡Jo!». Justo cuando pensaba que estaba haciendo progresos...

El dragón torció el cuello y rugió al aire. Clay regresó a la orilla del lago, sin saber si *Copito de Nieve* tendría intención de perseguirlo.

Cuando Clay miró hacia atrás, no vio rastro del dragón. *Copito de Nieve* no quería jugar al gato y el ratón, después de todo.

Dobló el cuerpo, descansando las manos en las rodillas mientras recuperaba el aliento. ¿Debería volver para seguir intentando una alianza con *Copito de Nieve*? No le hacía ninguna gracia, y menos si el dragón quería echarse una siesta. Pero tenía muy poco tiempo. No podía permitirse esperar unas horas antes de volver a intentarlo.

Antes de que pudiera decidir su siguiente paso, le llamó la atención un fuerte ruido entre los árboles. Algo muy grande caminaba pisoteando la selva y estaba ocasionando mucho alboroto.

¿Podía haber llegado allí *Copito de Nieve* tan aprisa?

A Clay no le gustaba mucho la idea de caminar hacia el monstruo, cualquiera que fuera, que daba aquellos pasos a través de la selva, pero no había tiempo que perder. Se puso bien derecho, se armó de valor, y se fue en dirección al ruido.

No, no se trataba de *Copito de Nieve*, sino de *Rover*. El gigantesco dragón gris daba saltos por allí, blandiendo la cabeza y gimoteando. La visión de la gran bestia sintiéndose tan afligida resultaba cómica, pero al mismo tiempo espantosa. Incluso antes de que el dragón lo hubiera descubierto, Clay estuvo a punto de ser aplastado en una pisada y destrozado por una garra.

Rover dio más saltitos antes de que Clay viera qué era lo que lo afligía de aquella manera: una goteante colmena que estaba metida en un recoveco de un árbol, un recoveco demasiado inalcanzable para las enormes garras del dragón. Clay lo vio intentarlo una vez, dos, tres, tratando de meter la lengua para probar la miel.

Las abejas estaban sobre *Rover*, sin embargo, y se metían volando en la boca del dragón y zumbaban en torno a sus ojos, provocándole accesos de furia. Seguramente era completamente imposible que las abejas pudieran atravesar con su aguijón las duras escamas del dragón, pero no cabía duda de que sí conseguían ponerlo fuera de sí.

Clay se acercó otro paso, sonriendo de oreja a oreja para mostrar que iba en son de paz (aunque, pensándolo bien, enseñarle los dientes a un dragón podía no ser la mejor de las ideas).

—Eh... eh... *Rover*... —dijo Clay con las manos sudorosas—. ¿Estás intentando probar la miel?

El dragón lo miró, y soltó un rugido que hizo temblar los árboles.

Clay tragó saliva pero no se movió.

—Voy a interpretar eso como un «sí» —dijo—. ¿Por qué no me dejas probar?

El dragón volvió a rugir, esta vez un poco más enfadado.

—¡Lo siento! —se apresuró a decir Clay—. Mi intención no es comérmela yo, lo que te pido es que me dejes cogerla para dártela.

Los ojos de *Rover* parecían confusos y recelosos. La generosidad parecía una idea completamente nueva para el dragón.

—De verdad, solo quiero ayudarte.

Rover pareció entenderlo, y a regañadientes se apartó un poco de la colmena, solo dos o tres metros. No pensaba dejar a aquel humano solo con semejante tesoro.

El verano anterior, en el Rancho de la Tierra, Zumbo había enseñado a Clay el truco más común para sacar panales de una colmena: el humo*. Pero Clay no tenía ni encendedor ni cerillas, y no podía producir una llama chasqueando simplemente los dedos, como hacía Sílex. Pero Zumbo, sin pretenderlo ni mucho menos, también le había enseñado a Clay algo de cómo hablar con las abejas.

Clay se acercó despacio a la colmena, con pasos firmes. Sacó con cuidado un brazo, sin que le temblara el pulso cuando primero una y después una docena de abejas molestas se le posaron zumbando en brazos y manos. Le hacían cosquillas al caminar por la piel, y Clay estaba seguro de que le picarían de un momento a otro, pero pensó que morir en las fauces de un dragón o en las manos del Sol de Medianoche sería mucho peor.

* Echar humo a una colmena es una manera de tranquilizar a las abejas para que sea menos probable que le piquen a uno. Sin embargo, sopla humo a la cara de casi cualquier otro ser vivo y obtendrás una reacción muy distinta.

—Necesito cogeros un poco de miel de vuestro panal —les dijo en la peculiar voz zumbante que Clay le había oído emplear a Zumbo—. Es por vuestro propio bien. Será el único modo de que el dragón os deje en paz.

Necesitó varios intentos y ejercer más dotes de convencimiento, pero aparentemente estaba haciendo una buena aproximación al lenguaje de las abejas, pues al final estas le permitieron a Clay arrancar de la colmena un pedazo de panal del tamaño de un plato llano.

Clay retrocedió unos pasos hasta que solo las abejas más curiosas (o las más perezosas) seguían en sus manos.

—Gracias, gracias, gracias —dijo, sintiendo un enorme alivio—. Nunca me volveré a enfadar con las abejas de Zumbo porque me den la lata.

Entonces tiró el trozo de panal hacia *Rover* describiendo un amplio arco en el aire. El dragón levantó la cabeza y atrapó el panal en el aire, al tiempo que esbozaba lo más parecido que puede conseguir un dragón a una sonrisa.

El dragón dejó caer el panal al suelo y, agarrándolo torpemente con las garras, empezó a lamer con la lengua las celdillas llenas de miel.

—¿Qué tal sabe? —preguntó Clay.

Rover miró a Clay, dejando caer la lengua fuera de la boca, como si fuera un enorme y atontado perro labrador. Clay se rio:

—Asombroso.

Estaba a punto de sentarse e intentar enzarzarse en conversación con *Rover*, cuando un revelador estruendo llegó procedente de lo profundo del bosque. Se oían unos pasos firmes, lentos y pesados que se acercaban cada vez más, hasta que a Clay casi le cae en la cabeza un coco que cayó de un cocotero que había sido golpeado.

Retrocedió hasta meterse a medias en un arbusto, temblando un poco al ver acercarse el otro dragón.

Barbazul entró en el claro con pies firmes y lentos. Las largas y afiladas garras del dragón hundiéndose en el suelo, rasgando la tierra a cada paso. Las marcas azules que *Barbazul* tenía en la cara hacían que el dragón pareciera aún más fiero cuando iba buscando el claro, olfateando a su alrededor en busca del intruso humano.

Entonces *Barbazul* vio el panel que goteaba miel desde las garras de *Rover*. Con un gruñido de desprecio, *Barbazul* pasó la vista desde la colmena tan difícil de alcanzar al estúpido dragón. Estaba bastante claro que *Barbazul* no juzgaba a *Rover* capaz de robar aquel dulce tesoro dorado sin ayuda de alguien.

Y también estaba bastante claro que a *Barbazul* no le hacía ninguna gracia que *Rover* se llevara bien con un humano.

Clay pensó en las opciones que se le presentaban: dejar allí a los dragones y echar a correr, para ser probablemente alcanzado y devorado de todos modos; o vérselas con *Barbazul* e intentar establecer una alianza con el dragón más fuerte y más malvado de todos.

Clay respiró hondo y se acercó a él.

Barbazul contempló a aquel insignificante humano a través de unas rendijas de ojos; las comisuras de los labios del dragón, que parecían unos bigotes azules, se curvaban hacia arriba como diciendo: «¡Ajá! ¡Ya sabía que eras tú!».

—Eh... —dijo Clay, intentando parecer relajado, aunque el corazón le palpitaba desbocado—. ¿Quieres un poco de panal tú también?

Barbazul lanzó un bufido, y entonces se volvió hacia *Rover* y, con un rapidísimo movimiento de una de las garras, le tiró el panal fuera del claro. *Rover* gimoteó. El mensaje quedaba claro: *Barbazul* no quería comerse ningún panal de miel que hubiera tocado Clay, y *Rover* tampoco iba a comérselo.

—De acuerdo —dijo Clay—. Ya sé que los humanos no se han portado precisamente bien con vosotros.

Barbazul lo miró. *Rover* bajó los ojos.

—Esos collares... no me gustan nada.

Al oír mencionar los collares, *Rover* se puso derecho, y *Barbazul* lanzó un gruñido bajo y sordo.

—Eeeeh —dijo Clay, levantando las manos y retrocediendo un poco—. Lo que intento deciros es que no soy como los otros humanos que hay aquí.

Por alguna razón, eso pareció desconcertar a *Barbazul*.

¿Qué es un humano?

A Clay le costó un rato comprender que *Barbazul* le había hecho una pregunta, telepáticamente, y que el dragón esperaba una respuesta.

—Yo, yo soy un humano.

Ah, dos patas y ninguna ala. Vosotros nos ponéis los collares en el cuello.

—Sí. Quiero decir, no. Yo no soy el que...

Intentas controlarnos, pero no vamos a tardar en matarte.

En la afirmación de *Barbazul* había una gélida seguridad.

—No, ¡no me matéis! Yo voy a... desconectar los collares y sacaros de aquí. Yo no soy como los otros... dos patas y ninguna ala. ¡Yo soy amigo de un dragón!

Barbazul lo miró con desprecio:

¿Qué es un dragón?

—¿Un dragón...? Estás de broma.

«No», pensó Clay, «*Barbazul* no está de broma. ¿Cómo iban a saber estos dragones lo que es un dragón? Nunca han conocido otra cosa más que a ellos mismos».

—Tú. Tú eres un dragón. Tú, *Rover* y...

Barbazul rugió furioso:

¡¡¡Mentiroso!!! ¡Nosotros no somos dragones!

—Eh, vale —dijo Clay retrocediendo—. Pero ¿por qué dices eso?

Tú dijiste que eras amigo de un dragón. Uno de los nuestros nunca sería amigo de un monstruo de dos patas y ninguna ala.

«Bueno, la prueba de que eres un dragón es esa actitud», pensó Clay.

Dijo en alto:

—No tienes que llamarte dragón a ti mismo si no te gusta, pero yo estaría muy orgulloso de ser un dragón, si estuviera en tu lugar.

Barbazul le dio un empujoncito a *Rover*, y los dos se pusieron a rugir a Clay.

Nosotros... no... somos... dragones...

Los dos dragones se pusieron entonces a cuatro patas y parecían aguardar un motivo, otro motivo más, el que fuera, para lanzar a Clay al aire como un balón de voleibol humano. A Clay lo atenazó un pánico como nunca había conocido.

Al menos no echaban fuego por la boca. Eso ya era algo.

Cantar. Tenía que cantar, como proponía el *Occulta Draco*. Era la última posibilidad que le quedaba. Pero no se le ocurría ninguna canción que resultara remotamente aplicable a las circunstancias. Así que se dijo a sí mismo: «Invéntatela».

—*Los dragones son increíbles… Son viejos y sabios* —medio cantó medio gritó, consciente de que sonaba horrible, pero siguiendo, como si su vida dependiera de ello (porque dependía de ello). *Son con diferencia los mejores tipos de por aquí…* —*Barbazul* lo miró con un enojo que Clay no había visto nunca. Era como si acabara de insultar a *Barbazul*, a la familia del dragón, y a todo lo que este quería.

Nosotros… no… somos… dragones…

Cantar no era la solución.

El irritado dragón se levantó sobre las patas de atrás y abrió la boca, respirando fuerte y hondo...

Clay se hizo atrás, sintiendo que se quedaba sin sangre en la cabeza.

Barbazul soltó un ensordecedor:

¡¡¡GRRUUUAAAJ!!!

Y de repente, como si hubiera estado esperando todo aquel tiempo, salió el fuego de la boca del dragón, como del extremo de un cohete espacial.

Algunos pelos sueltos que sobresalían del gorro de lana de Clay se chamuscaron; se había librado por muy poco de morir abrasado.

O sea que después de todo sí que podían arrojar fuego por la boca. Nunca le había hecho menos gracia comprobar que tenía razón.

Barbazul pareció asombrado por un momento. Entonces, con la emoción de un niño que da sus primeros pasos, o más exactamente, con la emoción de un cavernícola que acaba de descubrir el fuego, el dragón se echó atrás y soltó otra llamarada, aún más grande y potente que la primera.

La conversación había terminado. Reuniendo fuerzas, Clay se obligó a moverse.

Con el olor de azufre del fuego del dragón en la nariz, corrió ciegamente a meterse en la selva. Sin preocuparse por las ramas que le arañaban brazos y piernas, salvaba las rocas y tropezaba con las raíces de los árboles. Lo que fuera con tal de alejarse de *Barbazul*.

A su alrededor, se iban prendiendo fuego un árbol detrás de otro. El dragón lo iba persiguiendo.

Mientras corría, aterrorizado, jadeando, Clay fue comprendiendo que no se dirigía al perímetro de la cúpula eléctrica, como quería. Estaba dando un rodeo hacia la dirección de la que procedía. Cuando traspasó la línea de árboles, se volvió a encontrar enfrente del lago, pero ahora estaba en el lado superior, que estaba bordeado de un acantilado rocoso completamente vertical. Una pared natural que Clay habría tenido problemas para trepar aunque hubiera contado con el equipamiento necesario y todo el tiempo del mundo. Había llegado a un callejón sin salida.

Detrás de él, todavía parcialmente oculto entre los árboles, pero acercándose con cada uno de sus atronadores pasos, iba *Barbazul*. Y lo seguía *Rover* de cerca, y ahora también *Copito de Nieve*, corriendo tras el jefe del grupo.

Uno tras otro, los dragones escupían al aire triunfantes bolas de fuego, dejando en llamas uno y otro árbol. Era un trío de dragones que acababa de enterarse de que podía arrojar fuego por la boca.

Faltaban unos segundos para que Clay quedara a su merced.

Pero por el rabillo del ojo, Clay detectó algo: una oscura rendija en el acantilado, casi como una abertura...

¿La entrada a una cueva?

Sí.

Clay corrió hacia ella, aliviado de ver que la abertura era lo bastante grande para que él pudiera pasar cómodamente por ella, pero demasiado pequeña para un dragón. Decidiendo que no quería pensar en qué criaturas, aparte de los dragones, podían encontrarse dentro, Clay se internó en la cueva al mismo tiempo que *Barbazul* salía del bosque.

Al ver desaparecer a su presa humana, el dragón rugió, y luego golpeó, irritado, el lateral del acantilado. Clay retrocedió hacia la pared interna de la cueva mientras caían sobre él piedras y tierra.

Barbazul, agitado, se separó del acantilado, resoplando y bufando de rabia. Entonces el dragón soltó un rugido y volvió a embestir contra el acantilado, arrojando un muro de fuego al interior de la cueva. Conteniendo el aliento, Clay dio un salto justo a tiempo para evitar verse envuelto en las llamas. Olió los pelos de las axilas, que se curvaban por el calor del fuego. Si *Barbazul* seguía así, él quedaría como un pollo al horno. Puede que meterse en una cueva para esperar a ser asado vivo no hubiera sido el mejor plan posible.

—¡Eh, *Barbazul!* —gritó Clay—, ¡se me acaba de ocurrir una cosa!

Barbazul resopló furioso, y un jirón de humo salió de su boca. Clay hizo una mueca, preocupado de que cualquier cosa que dijera pudiera irritar aún más al dragón.

—Ya sé que estás muy entusiasmado con tu habilidad recién descubierta, pero piensa una cosa: si sigues echando fuego aquí dentro, yo moriré asado pero no podrás sacarme para comerme.

Barbazul emitió un sonido de incredulidad.

¿Qué te hace pensar que te quiero comer? Puede que solo quiera asarte.

—Ah, entonces bien... —Clay titubeó, intentando por todos los medios encontrar otro argumento—. Entonces tal vez deberías encontrar algo más que comer ahora. Quiero decir, debes de estar muerto de hambre. Y para matarme a mí necesitas energías, ¿no?

La cueva empezó a temblar otra vez, pero cuando Clay miró al exterior, vio que era porque *Barbazul* había tomado asiento enfáticamente justo delante de la entrada. Clay estaba ahora atrapado en el interior de una cueva oscura, oliendo los duraderos efectos del aliento del dragón, y contemplando el inmenso trasero del dragón.

Ya no tan preocupados con su prisionero humano, los demás dragones descansaban a la orilla del lago, practicando a ratos la nueva habilidad de arrojar fuego. *Rover* se entregaba con fervor a su nueva destreza, lanzando un chorro de llama blanca por el aire hasta la maleza que circundaba la orilla del lago. *Copito de Nieve*, mientras tanto, lanzaba fuego tan perezosamente como quien hace anillos de humo.

Clay los miraba con desconsuelo. ¡Pensar que hacía solo un ratito había estado tratando de hacerse amigo de los dragones...! ¡Que incluso había pensado que podría irse volando a lomos de uno de ellos...! Ahora no podía imaginar que hubiera ninguna posibilidad de que le dejaran salir vivo de la cueva. Pronto el mundo ya no dispondría, para recordarlo a él, más que de un montón de huesos chamuscados.

Durante todo este tiempo, el sol seguía corriendo por el cielo en dirección al oeste. Las sombras de los dragones se alargaban y estrechaban, y las preocupaciones de Clay se multiplicaban. Pensó en Cass y Satya y se sintió culpable. ¿Dónde estaría Cass en aquel momento? ¿Estaría esperándolo cerca del claro? ¿Qué haría Satya cuando desconectara la electricidad de la cúpula y no viera salir a ninguno de los dragones?

Intentó crear una distracción arrojando un largo palo que encontró dentro de la cueva. Pero *Barbazul* prendió fuego al palo antes de que cayera al suelo, nada más que por practicar puntería.

Clay buscó en sus bolsillos el chicle explosivo que Pablo le había dado, pero decidió que una explosión no le serviría más que para enfurecer a los dragones todavía más.

En cuanto a intentar razonar con las bestias, hasta el momento no le había servido para nada, y cada segundo que perdía le acercaba más a la hora fijada para el encuentro.

Cuando el sol cayó incluso por debajo de la línea del cráter, Clay fue presa del pánico. Miraba las manecillas de su reloj, que se acercaban cada vez más a las 8.25. Tic, tac, tic, tac. Pronto terminaría su oportunidad. Lo mejor que podía esperar para ese momento era que lo cogiera el Sol de Medianoche. Al menos ellos podrían salvarlo de los dragones.

Las ocho y veinticinco. Miró fuera, hacia la noche, como si viera a Satya o a Cass que vinieran a salvarlo, pero ¿cómo podrían saber siquiera dónde se encontraba él?

Y entonces ocurrió algo. Una extraña reacción de los dragones que estaban allí fuera. La cabeza de *Copito de Nieve* se movía hacia atrás y hacia delante. El dragón estaba otra vez jugueteando con su collar, pero con vacilación, como si estuviera confuso. El dragón retorció el cuerpo lo suficiente para tocar el collar con una de sus garras.

La cabeza de *Rover* también temblaba. Aquel dragón grande y atontado miraba a *Barbazul* como preguntándole, pero *Barbazul* se estaba rascando, también, y parecía perdido en sus pensamientos.

Finalmente, *Barbazul* vio a *Copito de Nieve* y le rugió. Estaba claro que ese rugido era una orden.

Copito de Nieve permaneció sentado.

De eso nada, parecía decir *Copito de Nieve*. *No pienso volver a hacerlo*.

Barbazul movía la cabeza insistiendo, mirando hacia arriba. Clay comprendió muy claramente que *Barbazul* le decía a *Copito de Nieve* que volara.

«Deben de haber comprendido que la cúpula está apagada», pensó con emoción. ¿Se irían?

Copito de Nieve no se inmutaba.

A *Barbazul* se le acabó la paciencia y soltó un rugido feroz.

¡VUELA!

Copito de Nieve emitió un pequeño gruñido de protesta, pero terminó levantándose y, de un solo batir de alas, se impulsó en el aire.

Copito de Nieve ascendió y ascendió y ascendió, hasta alcanzar la misma altura a la que volaba el helicóptero cuando Clay dio la vuelta por el cráter, y después, con vacilación, estiró el ala hacia el cielo. Como por lo visto no tocó barrera ninguna, el dragón extendió placenteramente ambas alas, descendió brevemente y volvió a elevarse triunfante.

Sin podérselo creer, *Rover* saltó torpemente al aire y, batiendo furiosamente las alas, empezó a describir círculos en torno a *Copito de Nieve*.

Copito de Nieve descendió en picado sobre la cabeza de *Barbazul*, por lo visto esperando que este se uniera a ellos.

¡Podemos volar adonde queramos! ¡Es nuestra oportunidad!, podía notar Clay que decía *Copito de Nieve*. El dragón esperaba, pero *Barbazul* no se movió. ¡Vamos!, parecía apremiarle *Copito de Nieve*. ¡Tenemos que movernos!

Lo haremos, dijo *Barbazul* de forma que resultaba amenazante. Pero antes tenemos que comer.

El dragón extendió sus enormes alas y se elevó, ascendiendo al oscuro cielo y volviendo para encaminarse hacia el castillo. *Copito de Nieve* y *Rover* lo siguieron, con hambrientos pensamientos.

Capítulo 18

El chicle en la boca de Clay

Cuando el sol descendió en el cielo y empezaron a verse las primeras estrellas titilantes, Satya estaba en la torre de control, viendo pasar los segundos en su reloj de muñeca. Se las había arreglado para organizar una buena maniobra de distracción: después de asegurarse de que todas las puertas y ventanas de la incubadora estaban cerradas para que no pudieran escapar los pequeños dragones, los había dejado salir de las jaulas. En ese momento, *Hermes* atravesó la sala, provocando muchísimo alboroto y hostigando a los dragones, que intentaban alcanzar las neveritas abiertas y llenas de carne roja de primera. Llamarían a todos los guardias de seguridad de la Torre de Homenaje, igual que a su padre.

Satya exploraba el claro una y otra vez, pero sin resultado. Había permanecido en la Torre de Homenaje casi treinta minutos, sin ver ni señal de Clay ni de Cass, ni de ningún dragón. Pero un plan es un plan, y a las 8,25 exactamente, Satya respiró hondo y giró la llave de la cerradura de seguridad de la cúpula. Dirigió el dedo al gran botón rojo, y entonces lo apretó sin permitirse otro segundo de duda.

La cúpula eléctrica se apagó con un extraño silbido, como si se estuviera desinflando. Satya no había notado lo penetrante que era el sonido de esa cúpula hasta que se hizo el silencio. De repente, los sonidos del anochecer (el zumbido de los insectos, el ulular de las rapaces y el batir de alas de los murciélagos) parecían tan potentes como fuegos artificiales.

«Vamos, Clay», pensó ella. «Vamos». Los segundos pasaban uno a uno en su reloj, pero seguía sin haber indicio alguno de ninguna enorme criatura que escapara llevando en su lomo a dos diminutos humanos, ni en las oscuras profundidades de la selva ni en el cielo estrellado de la noche.

Treinta segundos...

Cuarenta y cinco segundos...

Un minuto.

El tiempo que Satya había prometido había llegado y se había pasado. Se le cayó el alma a los pies. Clay no debía de haber conseguido montar ningún dragón. Por lo menos esperaba que hubiera sobrevivido al intento.

Justo cuando el dedo de Satya se cernía sobre el botón, preparándose para volver a conectar la cúpula eléctrica, vio una gran forma que volaba en el cielo nocturno, cuyo cuerpo entre negro y azul era una sombra que se desplazaba en la oscuridad. *Barbazul.* Satya se llevó una enorme alegría: ¡era Clay! ¡Lo había conseguido! Hasta que el dragón abrió la boca y...

¡¡¡GRRUUUAAAJ!!!

A diferencia de otras veces en que Satya había visto rugir a un dragón, aquel rugido había ido acompañado por un fogonazo cegador. Se quedó con la boca abierta y al mismo tiempo se le cayó el alma a los pies. Al final resultaba que Clay tenía razón: los dragones sí que podían echar fuego por la boca. Y por si eso no fuera bastante aterrador, aquella exhalación blanquecina había iluminado el cielo nocturno lo suficiente para que Satya tuviera claras dos cosas: *Barbazul* estaba suelto, y no iba nadie montado en su lomo.

—¡No...!

Ante sus ojos horrorizados, *Barbazul* aminoró la velocidad de su vuelo y empezó a describir círculos en lo alto, como una monstruosa ave de presa.

Temblando de miedo y nerviosismo, Satya toqueteó el botón de la cúpula, a punto de volver a encenderla, pero entonces comprendió que *Barbazul* ya estaba completamente fuera de esa cúpula. Si en aquel momento volvía a encenderla, más que mantener al dragón dentro, lo que conseguiría sería evitar que volviera a entrar.

—No, no, no, no...

Barbazul se vio enseguida acompañado por los otros dos dragones. Daban vueltas uno en torno a otros, como si estuvieran discutiendo su plan de ataque. O al menos eso parecía que estaban haciendo dos de ellos. *Rover* daba volteretas en el aire, como un cachorrito retozón que resultara tener alas y el tamaño de una ballena.

De repente, la cabeza de *Barbazul* giró en dirección a Satya. El dragón estaba demasiado lejos como para que ella pudiera verle la cara; sin embargo, *Barbazul* le pareció que la miraba, a través del cielo oscurecido, directamente a los ojos.

Entonces, con un solo batir de alas, *Barbazul* se lanzó, descendiendo hacia la torre como disparado.

En ese mismo segundo, la trampilla se abrió de un golpe, y Satya chilló. Se dio la vuelta y vio a Clay, con los pies todavía en la escalerilla, asomando la cabeza por la trampilla.

—¡Vamos! —gritó, jadeando—. ¡Tenemos que darnos prisa!

Clay agarró la mano de Satya y tiró de ella hacia la trampilla:

—¡No tenemos tiempo de bajar por la escalerilla! ¡Deslízate, así!

Clay se agarró a un riel de la escalerilla y empezó a deslizarse hacia abajo, como si fuera una barra de bombero. Ella lo siguió.

—¡Más aprisa!

Descendían rápidamente, pero no lo suficiente. *Barbazul* se acercaba. En un segundo, estarían al alcance del aliento de fuego del dragón. Un segundo más y estarían al alcance de sus dientes.

Estaban a tres metros del suelo, pero Satya y Clay se miraron pensando lo mismo:

¡SALTA! ¡SALTA!

Sin un momento que perder, saltaron al suelo y rodaron por tierra. Mientras trataban de levantarse para huir, miraron atrás justo para ver cómo *Barbazul* lanzaba una bola de fuego hacia la torre. El dragón se quedó flotando en el aire, atacando la torre una y otra vez, hasta que toda la armazón se empezó a desmoronar y la caseta cayó al suelo ardiendo. Entonces, a la misma velocidad a la que el dragón se había lanzado hacia Satya, se marchó... en dirección al castillo.

—Bueno —dijo Clay respirando con dificultad—, supongo que la cúpula está apagada para siempre. Y ahora el collar que llevan los dragones ya no sirve para nada.

—En realidad hay una copia de seguridad del sistema —dijo Satya jadeando—. Pero les costará un tiempo ponerla en marcha.

—¿Dónde está Cass? —preguntó Clay.

—Te iba a preguntar lo mismo.

—¿Crees que seguirá con Schrödinger?

—Sí, a menos que la hayan atrapado los dragones.

—O el Sol de Medianoche...

◆ ◆ ◆

Clay y Satya corrieron por el oscuro sendero hasta donde se encontraban el castillo y las tiendas. Oían a lo lejos el crepitar de las llamas, los gritos de la gente y, por encima de todo, los rugidos de los dragones. Clay esperaba que Cass y Schrödinger estuvieran a salvo en alguna parte. Parecía que aquello de separarse para ir cada uno por su lado había sido una mala idea.

Todo en su conjunto había sido una mala idea.

El camino giraba en torno al edificio del laboratorio, que seguía en pie milagrosamente. Doblaron la esquina, acercándose al puente que separaba el laboratorio del castillo. Tanto Clay como Satya se detuvieron en seco al oír un estruendo.

El letrero de SOLO VISITANTES AUTORIZADOS que coronaba la entrada de la Torre de Homenaje no había escapado a la cólera del dragón: estaba caído sobre el puente, en un montón de escombros en llamas, cerrando completamente el camino. Clay estaba a punto de sugerir que pasaran bajo el puente y trataran de atravesar caminando por el río, cuando vio una larga cola verde que se movía. *Copito de Nieve* estaba agachado bajo el puente, y a juzgar por el movimiento de la cola, estaba muy nervioso.

—¡Estupendo! —dijo Clay para el cuello de la camisa.

Entonces oyeron una vibración en el suelo, debajo de ellos, que no presagiaba nada bueno.

—No mires ahora, pero hay alguien detrás de nosotros —le susurró Satya.

Clay tragó saliva y miró por encima del hombro. *Rover* se acercaba andando, y sus pasos retumbaban en el suelo.

—¿Por dónde? —preguntó Satya.

Clay intentó pensar deprisa. No podían cruzar el puente por culpa del letrero que ardía en él, ni podían pasar corriendo por debajo de él por el dragón que lo guardaba, como un enorme ogro. Pero tenían que cruzar de alguna manera, y pronto, o de lo contrario los pisotearía el otro dragón, aún más grande, que se acercaba a ellos por detrás.

¿Qué podían hacer? Lo más sencillo hubiera sido apartar el letrero en llamas, pero el letrero era demasiado grande y las llamas demasiado vivas.

«Espera... ¡El chicle explosivo!» Todo lo que Clay tenía que hacer era masticarlo, escupirlo contra los restos del puente, y dos segundos después... ¡pumba!, tendrían el camino despejado. A menos que el puente entero se derrumbara. En cuyo caso, *Copito de Nieve* no tendría más remedio que escapar.

Desde luego, merecía la pena intentarlo.

Clay desenvolvió el chicle y se lo metió en la boca.

—¿Crees que es el momento ahora de preocuparse de que no te huela el aliento? —preguntó Satya, mirándolo con recelo. Y entonces abrió unos ojos como platos, comprendiendo de repente.

Clay señaló su boca y empezó a explicar con las manos, porque si lo explicaba con palabras, y por tanto dejaba de masticar, el chicle le estallaría entre los dientes.

Satya lo detuvo, agarrándole las manos:

—Un momento, creo que sé lo que vas a decir —dijo ella. Sus ojos oscuros eran grandes y redondos. No había ni asomo de su sarcasmo habitual.

Clay hizo un esfuerzo para no olvidar que tenía que seguir mascando.

—Estamos acabados, ¿verdad? —Apretó la mano de él—. Y ya sé que esto es un poco tonto, pero..., bueno, no quiero morir sin haber besado a nadie. —Y poniéndose de puntillas, Satya acercó los labios a Clay para darle un beso.

Clay casi se ahoga con el chicle. Naturalmente, él no era ningún experto en besos, pero sabía lo suficiente como para comprender que masticar mientras alguien lo está besando a uno no resulta muy correcto, en el mejor de los casos, y en el peor puede ser francamente ofensivo. Especialmente cuando se trata del primer beso de esa persona. Y, para ser sinceros, también del primer beso de uno. ¡Pero no podía dejar de mascar, o de lo contrario saltarían ambos en pedazos!

—¡Clay! —Satya echó para atrás la cabeza y se pasó la mano por la boca—. ¿Qué estás haciendo? ¡Deja de masticar inmediatamente!

Negando apasionadamente con la cabeza, Clay le puso las manos en los hombros y la empujó.

¡¡¡BUUUM!!!

—¡Caray! —exclamó Satya, ofendida—. Lo siento, olvida que yo haya...

Clay se sacó de la boca el chicle y lo tiró contra los restos del letrero en llamas.

—¡Al suelo! —Tiró de Satya contra el suelo por un brazo, y los dos se tendieron dándole la espalda al puente.

—Tres, dos, uno... —susurró.

La explosión esparció los restos ardientes del letrero de madera, despejando un camino en el puente.

Tras ellos, *Rover* rugió y echó a volar.

Debajo del puente, los restos que caían le pegaron a *Copito de Nieve* entre los ojos. El dragón se balanceó hacia delante y hacia atrás, atontado, sobre el lecho del río.

Satya miró a Clay, sorprendido.

—¿Quién eres tú, James Bond?

Clay sonrió.

—Es curioso, eso es justo lo que le pregunté yo a Pablo cuando me dio el chicle.

—¿A quién?

—Olvídalo. ¡Es el momento de correr!

Clay se puso de pie de un salto, tirando de Satya tras él. Atravesaron el puente a toda velocidad, sin atreverse a mirar atrás. Ni abajo.

◆ ◆ ◆

Mientras Clay y Satya corrían por el sendero hacia las tiendas y el castillo, vieron guardias de seguridad a lo lejos, que iban de un lado para el otro. A su alrededor, sonaban bocinas.

De repente, Satya agarró a Clay por la muñeca y tiró de él para esconderse en un arbusto.

—¿Qué es? —susurró Clay, esperando tener otra ocasión de besarla, aunque no fuera el momento más apropiado.

Satya señaló con el dedo. Acercándose a una de las tiendas, sin mucho sigilo, iba *Rover*. El dragón se había echado a volar cuando volaron el letrero del puente, pero no había ido muy lejos. Y ahora había puesto los ojos en algo, o alguien, en una de las tiendas.

Satya y Clay contemplaron horrorizados cómo *Rover* levantaba una pata y deslizaba la garra por la tienda, abriéndola como si fuera un queso blando y revelando a sus ojos a un hombre de pelo gris alborotado que estaba en posición de firmes, con un sombrero del Oeste en la cabeza.

Con un grito de «¡Yujuuuuu!», Schrödinger se lanzó encima de *Rover*, agarrándole la cola con todas sus fuerzas.

Y, sin embargo, con todo lo asombroso que pudiera resultar ver a un viejo vaquero intentar montar un dragón gigantesco, algo dentro de la tienda llamó la atención de Clay incluso más poderosamente que el espectáculo de rodeo que estaba teniendo lugar. Allí, detrás del escritorio de Schrödinger, estaba tendida Cass, haciendo todo lo posible para no convertirse en la próxima merienda del dragón.

Capítulo 19

El hombre de los sombreros vaqueros

*Una hora antes**

Con tantos guardias de seguridad como corrían en su busca por toda la Torre de Homenaje, a Cass le había costado mucho rato llegar hasta las tiendas, pero en cuanto consiguió llegar, se dio cuenta enseguida de cuál era la de Schrödinger: la exposición de sombreros vaqueros que colgaban del poste de delante de la tienda era una indicación muy clara.

Encontró al curtido viejo sentado ante su escritorio, garabateando furiosamente en un montón de papeles. En lugar de los usuales guantes blancos del Sol de Medianoche, llevaba unos guantes de montar de piel de becerro, que estaban manchados de barro y de tinta. Un nuevo sombrero vaquero descansaba a su lado.

—Perdóneme —dijo Cass, cerrando tras ella la portezuela de la tienda—. ¿El señor Schrödinger?

* Más o menos. El tiempo no es mi fuerte.

Tuvo que repetir el nombre varias veces antes de que él levantara la vista. Sus ojos parecían enloquecidos y no la miraban directamente.

—Schrödinger... Schrödinger... ¡Ese nombre me suena! —dijo con emoción.

—¿No es el suyo, entonces?

—¿Qué es lo que no es el mío? —preguntó con una sonrisa de oreja a oreja, que alzaba los extremos de su enorme bigote—. No importa, joven dama. Sea lo que sea, se lo puede llevar. Las cosas materiales ya no me sirven para nada.

—Me refería al nombre, Schrödinger.

— ¿Schrödinger? Sí, lo recuerdo. Era un sheriff. ¿O era aquel charlatán que me vendió una crema contra las hemorroides que no sirvió para nada?

Cass intentó un enfoque distinto:

—¿Qué está escribiendo, señor...?

—¡Ah!, ¿esto...? —Miró las hojas que tenía delante como si le sorprendiera encontrarlas allí—. ¿Estaba escribiendo...?

Levantó una hoja en el aire. En vez de escritura, se trataba de un dibujo de un dragón con un copo de nieve en el hocico y las alas extendidas, como para echarse a volar. Y en una esquina de la hoja, Schrödinger había dibujado un oscuro corte en el cielo.

—Otra vez esa raya... —susurró Cass con la frente fruncida—. Señor Schrödinger, ¿ha ido usted a alguna parte en uno de esos dragones? ¿Por eso los está criando el Sol de Medianoche, para llegar a este lugar?

Schrödinger asintió con la cabeza. Una luz pareció encenderse tras sus ojos.

—Tan rápido vuelan los dragones... Cada vez más rápido. No has visto nada igual. Y después... se para... y ahí estás... Ella piensa que quiero volver, pero no.

—¿Quiere decir que la señora Mauvais piensa que usted quiere volver?

Él la miró, retorciéndose el bigote:

—Sí, Antoinette.

—¿Adónde? ¿Adónde piensa ella que usted quiere volver?

—¡Al lugar en que estoy! Eso es lo que la señora no comprende. Que todavía estoy allí. —Schrödinger negó con la cabeza, como si la señora Mauvais fuera increíblemente obtusa—. Ya se lo dije, yo no quiero ir a ninguna parte. Quiero volver.

—¿Volver adónde?

—¡Aquí! —dijo él, exasperado.

Cass se acercó un poco más, y apretó con el dedo el corte del dibujo.

—Esta raya en el cielo... ¿lleva al lugar en que estaba usted? Quiero decir, ¿lleva al lugar donde está, señor Schrödinger?

El bigote de Schrödinger tembló:

—Schrödinger, Schrödinger... Me suena ese nombre... ¿No era un cuatrero? Un hombre terrible, pero menudo encantador...

Se rascó la cabeza hasta que su mirada se posó en Cass:

—Hola, joven dama. ¿Quién es usted? —preguntó como si acabara de llegar en aquel momento—. ¿Puedo ofrecerle un poco de café? Me sale muy bien, bastante fuerte... —Miró a su alrededor, confuso—. ¡Maldita sea! Se ha apagado la fogata.

—No pasa nada, no necesito café, señor Schrödinger—. Gracias.

—¡Schrödinger! Ah, hay una historia detrás de ese nombre...

—Por favor, concéntrese —dijo Cass, poniéndole la mano en el hombro—. Ese lugar del que habla..., ese lugar donde está usted... ¿tiene algo que ver con esa raya? —De nuevo, Cass señaló la raya del cielo—. ¿La raya indica el camino?

Pero Schrödinger no se concentraba, o no podía concentrarse, en nada que tuviera delante. Entonces, justo cuando Cass empezaba a pensar que ella debería echar a correr en busca de Clay, el viejo vaquero al menos pareció comprender lo que ella le preguntaba.

—¡Ah!, ¿esa raya en el cielo? —dijo, como si ella acabara de mencionarla por primera vez—. Eso es lo que queda después de que vuele allí un dragón, claro. Los dragones vuelan a tal velocidad...

Cass miró el reloj de bolsillo de Schrödinger, que estaba sobre el escritorio. La cúpula eléctrica quedaría desconectada en un minuto exactamente, pero por fin ella estaba llegando a algo con el señor Schrödinger, así que no podía irse. Estaba a punto de resolver el misterio que la había llevado a la Torre de Homenaje.

—¿Quiere decir que la raya es como un rastro del vuelo del dragón? —preguntó ella.

Schrödinger asintió con energía.

—Un desgarro en la tela.

—¿La tela?

—La tela que separa los dos sitios.

—¿Qué sitios?

—¿Quiere decir este lado y el... —No le gustaba decirlo en voz alta, pero seguramente él, de todas formas, no recordaría ninguna palabra que ella dijera—. ¿Quiere decir entre este y el Otro Sitio? ¿Ha estado usted en el Otro Sitio?

No respondió. Sus ojos empezaban a ponérsele vidriosos otra vez.

—Es en eso en lo que todo esto consiste, ¿verdad? —insistió Cass—. El Sol de Medianoche quiere que los dragones lleven volando a los socios hasta el Otro Sitio... Piensan que si llegan allí volverán a ser jóvenes, ¿no?

—Piensan que es la Fuente de la Juventud —susurró Schrödinger—. Pero no lo es.

—¿Qué es entonces? —le preguntó Cass, apremiante—. ¿Qué hay en el Otro Sitio, señor Schrödinger?

—¿Schrödinger? ¡Ah, eso me recuerda algo!

—Sí, es un nombre muy familiar, ¿verdad? —preguntó Cass, rechinando los dientes. ¿Cúando iba a aprender a no repetir ese nombre?

Volvió a intentarlo varias veces más antes de darse por vencida.

Por fin, volvió a mirar el reloj de bolsillo de Schrödinger. Pasaban catorce minutos. Por su bien, esperaba que Clay se hubiera ido sin ella.

—Gracias, señor Schrödinger. Ha sido de mucha ayuda.

Antes de irse, vio algo detrás de la cabeza de cabellos alborotados de Schrödinger. Una sombra aumentaba de tamaño contra la pared de lona de la tienda.

—Si no me equivoco —decía él en aquel momento—, ese borrachín de Schrödinger dio con sus huesos en Truckee durante la fiebre del oro...

—¡Shhh! —hizo Cass—. Señor Schrödinger, ¡mire detrás de usted!

La sombra se cernía aún más grande, y empezó a tomar forma: cuello largo..., lomo dentado..., grandes alas llenas de puntas...

—No encontró mucho oro el pobre, claro que no...

—¡Shhh, por favor! —le rogó Cass en un susurro.

Confuso, Schrödinger se dio la vuelta. Una sonrisa de oreja a oreja se extendió bajo su bigote.

—Bueno, yo... ¡Aquí está mi caballito!

Mientras la sombra del dragón se hacía tan grande que oscurecía el interior de la tienda, Schrödinger cogió su sombrero.

—Tendrá que perdonarme, señorita, pero ha llegado la hora de que vuelva a casa —gritó él muy alegre, chocando las espuelas que llevaba en los talones.

La pared de la tienda se combó con un rasguido de infarto. Una garra afilada como una navaja cortaba la lona, exponiendo a Cass y a Schrödinger a la intemperie y a una fila de brillantes dientes de dragón.

Era el gran dragón gris que solía llevar la lengua colgando: *Rover*. Los ojos del dragón merodearon por la tienda destrozada antes de clavarse en los dos humanos.

Con la mayoría de los animales salvajes, como Cass sabía muy bien, el truco consiste en agitar los brazos para parecer lo más grande posible y que el animal te deje en paz. Pero con algo tan grande como aquel dragón, pensó Cass, agitar los brazos podría parecer más bien una invitación a la cena. Se necesitaba otra estrategia.

Cass estaba a punto de pedirle a Schrödinger que se quedara completamente quieto cuando este levantó una mano, gritó: «¡Yujuuuuu!» y se lanzó de un salto sobre el anonadado dragón...

Pero tropezó y cayó sobre la cola.

Capítulo
20

La destrucción del castillo

A unos doce metros de allí, Clay y Satya observaban, horrorizados.

Clay quería correr hacia Cass, pero en medio del camino se encontraba un gigantesco dragón llamado *Rover*, y un tipo loco se agarraba a la cola del dragón como si estuviera en un rodeo montando un caballo salvaje.

—¡Soooooooo! —gritaba Schrödinger, intentando subir hasta el lomo del dragón.

El dragón se revolvía contra un lado y el otro rugiendo furioso. Las piernas de Schrödinger iban por el aire.

—¡Tranquilo! —gritó, y daba la impresión que estaba disfrutando como nunca en su vida—. ¡Tranquilo...!

El dragón se revolvió un rato más, y terminó extendiendo las alas y echando a volar, arrojando a Schrödinger al suelo. El viejo vaquero cayó de culo y rebotó, agarrándose las doloridas posaderas.

—¡Ay! —exclamó Satya, haciendo una mueca de dolor compasivo.

—¡Vamos! —gritó Clay.

Corrieron hacia la tienda desgarrada, donde Cass estaba en una postura que indicaba que estaba preparada para correr, pero no sabía hacia dónde.

—¿Estás bien? —le preguntó Clay.

—Como nunca —dijo Cass con sequedad—. Pero tengo que admitir que me estoy pensando lo de volver a casa a lomos de uno de esos.

—No te preocupes de eso —dijo Clay con tristeza—. Ellos tampoco están muy por la labor de llevarnos.

Cass lo miró:

—O sea que no ha habido suerte.

Clay negó con la cabeza.

—Vamos a buscar a mi padre —dijo Satya—. Él sabrá qué hacer.

—Creía que trabajaba para el Sol de Medianoche —dijo Cass, poniéndole mala cara.

Satya le respondió con el mismo gesto:

—Mi padre trabaja para los dragones.

«Por supuesto que sí», pensó Clay. «Poniéndoles anteojeras, y sogas, y collares que les sueltan descargas eléctricas». Pero decidió que no era el momento de ponerse a discutir.

◆ ◆ ◆

—Mi padre y yo tenemos un plan de emergencia —explicó Satya cuando empezaron a correr hacia el castillo—. Si pasa algo como lo que está pasando, hemos acordado que nos encontraríamos en la fuente. Estará allí esperando. Estoy segura.

—Y yo estoy seguro de que él estará encantado de ver que estás ayudando a un par de prisioneros fugados —dijo Cass con una sonrisa sardónica.

El patio del castillo estaba lleno de gente que corría atropelladamente: guardias de seguridad, mayordomos, jardineros, personal de cocina... Satya condujo a Clay y a Cass por entre la multitud, y después se paró en seco y les hizo señas para que retrocedieran.

Junto a la fuente no estaba Vicente sino la señora Mauvais, tan dominante e impertérrita como siempre. Si había una tormenta azotando la Torre de Homenaje, la señora Mauvais era el ojo de esa tormenta: el centro exacto, en calma pero con un terrible poder.

—¡Vicente! ¡Que alguien llame a Vicente! —ordenó—. ¡Satya! ¿Dónde está tu padre?

—¡Iré a buscarlo! —gritó Satya con nerviosismo.

Sin esperar a oír nada más, Satya hizo un gesto dirigido a los otros. Estos fueron pasando por alrededor del patio, por donde no podía verlos la señora Mauvais. Después subieron la escalinata y entraron en el castillo.

—Seguramente está en la cabina de control de emergencias. —Señaló la Sala Ryū—. Por allí... ¡vamos!

Corrieron por el vestíbulo de mármol hacia la Sala Ryū. Pero cuando pasaron la vitrina que contenía la *Matadragones*, Clay se paró y se volvió, resbalando ligeramente en el mármol. Sin querer, había recordado la ridícula imagen de Kwan con un cuchillo de untar mantequilla entre los dientes. «Siempre viene bien llevar un arma con uno, ¿no?».

—¡Esperad por mí! —les gritó a Cass y a Satya, y retrocedió a la carrera por la sala hacia la armadura que estaba a la entrada.

—Lo siento, tengo que coger esto —susurró. Agarró el hacha de dos filos sujeta en el hueco de la mano metálica de la armadura, y tiró*. La armadura se cayó al suelo, pero los ruidos metálicos que hizo se perdieron en el barullo general.

Clay balanceó el hacha, aunque casi se le cae (era muy pesada). Entonces corrió, torcido hacia un lado, de vuelta hacia la vitrina.

La espada que había dentro no parecía haber sido tocada por nadie desde los tiempos del rey Arturo. Pero, por supuesto, sí que había sido tocada, y además muy recientemente, no para matar dragones sino para crearlos, con la antigua sangre que manchaba la hoja. Razón suficiente para coger la espada, pensó Clay.

Sin preocuparse de quién estuviera mirando, levantó el hacha en el aire y la dejó caer. El cristal se hizo añicos y saltó una alarma: otro ruido más para añadir al estruendo general.

La espada quedaba mejor en su mano que el hacha (lo cual quiere decir, sencillamente, que no pesaba tanto). Por

---

* Un guante metálico como ese se llama guantelete. Son estos guanteletes a los que se refiere la expresión «arrojar el guante». Y, sin embargo, es más probable que fuera el hacha de doble filo, llamada *Francisca*, lo que arrojara un caballero medieval antes de que comenzara un combate mano a mano, pues el guantelete lo conservaría para protegerse las uñas. Los caballeros medievales, según tengo entendido, eran muy mirados para eso de la manicura.

probar, Clay cortó el aire con ella una vez en cada dirección. Le repugnaba pensar que aquella espada hubiera matado dragones; sin embargo, empuñarla resultaba casi divertido, o lo hubiera resultado en otras circunstancias.

—¡Eh, cuidado con eso, Caballero Lanzarote! —dijo Cass—. Al menos déjame a mí el hacha, si tú vas a ir con la espada en alto.

Al mismo tiempo que le cogía el hacha, se oyó un tremendo golpetazo que les hizo soltar a todos un grito. El edificio tembló como por efecto de un terremoto.

—¡Ahí! —gritó Cass. Los tres se fueron hacia la Sala Ryū al tiempo que otro tremendo golpe sacudía el castillo.

Los Wandsworth estaban en su mesa del bar, jugando a las cartas como si no pasara nada. Dos aterrorizados camareros se hallaban sentados enfrente de ellos. Cuando uno de ellos dio muestras de querer levantarse, la señora Wandsworth le puso la mano sobre la de él.

—Vamos, vamos. De aquí no se mueve nadie hasta que se acabe el juego.

El señor Wandsworth movió la cabeza de arriba abajo para mostrar que pensaba de la misma manera, y a continuación se sirvió una generosa porción de hidromiel del barril que había sobre la barra.

Un tremendo rugido les horadó los oídos a todos.

Clay, Satya y Cass se escondieron bajo la mesa más cercana.

A su alrededor, jarrones de cerámica valiosísimos empezaron a romperse uno a uno, como si les estuviera disparando un tirador para practicar la puntería. De las paredes caían obras de arte. Las botellas se caían de la barra al suelo, hasta que la barra misma se desmoronó.

Al final terminaron los temblores. Clay abrió un ojo y después el otro. Cass y Satya también observaban a su alrededor. Justo a tiempo de ver cómo se torcía una columna y como se derrumbaba una pared entera. La sala se estaba desplomando en torno a ellos.

—¿Qué ha pasado? —susurró Satya.

—Ha sido como si estallara una bomba —dijo Clay.

Cass salió a gatas de debajo de la mesa:

—Menos mal que esta mesa es robusta.

Clay y Satya salieron detrás de Cass y se pusieron de pie entre los escombros. La mitad del castillo había quedado destruida. Donde se había desplomado el tejado, podían ver el cielo estrellado.

No lejos de allí, los Wandsworth y sus compañeros de bridge seguían sentados a la mesa, pero ahora estaban cubiertos de polvo y yeso.

—¡Han sido las mejores cartas que he tenido en noventa años! —se quejaba la señora Wandsworth—. ¿Qué quieres decir con eso de que se levanta el juego?

—Puede que prefieras tener a un dragón como contrincante —dijo su marido, señalando con el dedo.

Todos se volvieron a mirar. Donde antes estaba el vestíbulo de mármol, ahora descansaba, sobre sus patas traseras, *Rover*, con la lengua fuera como de costumbre. El dragón los miraba con hambre.

«¡Si al menos ahora tuviera un poco de ese panal de miel...!», pensó Clay.

—¡El hidromiel! —gritó a los Wandsworth—. ¡Denle un poco de hidromiel al dragón!

—¿Qué? No pienso hacer nada parecido —dijo la señora Wandsworth, ofendida—. ¿Sabes lo que les pasó a mis *shih tzus* cuando se bebieron el champán?

Pero Clay no le prestó ninguna atención. Cogió él mismo el barril de hidromiel y dejó caer el líquido delante de *Rover*. No demasiado cerca, claro, pero lo suficientemente cerca.

—Mira, *Rover*, esto te va a gustar. Está hecho de miel.

Mientras *Rover* olfateaba con curiosidad, Clay le quitó la tapa al barril, dejando lo que para el dragón sería un chupito de hidromiel. Entonces se alejó corriendo.

Unos segundos después, el dragón estaba muy contento bebiéndose el hidromiel a lengüetazos, tal como Clay se había imaginado. Pero el barril se quedó vacío demasiado pronto. *Rover* lo levantó y empezó a agitarlo, esperando más.

Mientras Clay trataba de encontrar otras maneras de distraer al dragón, una sombra cruzó delante de la luna y *Rover* se paró:

¡¡¡GRRUUUAAAJ!!!

Era el jefe azabachado de *Rover*, *Barbazul*. Respondiendo a alguna señal secreta, *Rover* empezó a retroceder de las ruinas del castillo hacia el patio. Con aparente dificultad, el dragón entonces extendió las alas y saltó al aire, tropezándose con la fuente, pero consiguiendo, finalmente, remontar el vuelo.

Por un momento, todo estuvo tranquilo. Dejando atrás a los Wandsworth y sus desventurados compañeros de juego, Clay, Cass y Satya emprendieron con cuidado el camino a través de los escombros.

El patio, iluminado por la luz de la luna, parecía vacío, salvo por los dragones de bronce de la fuente, que recortaban su forma contra el purpúreo cielo nocturno. *¿Barbazul* había ido a algún otro sitio? ¿Por eso había llamado a *Rover*?

Entraron con cautela en el patio y miraron a su alrededor. Entonces, los tres chillaron al mismo tiempo:

—¡Corred!

Barbazul no había ido lejos, sino que estaba describiendo círculos en lo alto, esperando el momento de atacar. Y en aquel momento el dragón descendía directamente hacia ellos.

Se fueron a la selva en busca de refugio, pero no lo hicieron lo bastante aprisa.

—¡Aaaaaaaaayyyyy! —gritó Cass. Al pasar volando *Barbazul*, uno de los pinchos de sus alas le había rasgado una manga.

—¿Estás bien? —gritó Clay.

—¡Sí! —dijo Cass, aunque Clay vio sangre en su brazo—. ¿Dónde está Satya? —preguntó.

Miraron a su alrededor. El dragón se había posado delante de la fuente, así que Satya había quedado al otro lado. Estaba apoyada contra una de las pocas paredes que quedaban del castillo.

Barbazul le echó una humarada a la cara, jugando con ella.

No del todo consciente de lo que hacía, Clay levantó la *Matadragones* por encima de la cabeza y se lanzó contra *Barbazul* a toda velocidad.

—¡Apártate de ella o enfréntate a esto! —gritó, con algo que podría llamarse, en toda justicia, un valor demencial.

Barbazul dobló el cuello y miró a Clay. Por un momento dio la sensación de que estaba asimilando las palabras del muchacho. ¿Era posible que la enorme bestia tuviera miedo de aquella pequeña espada? De pronto *Barbazul* soltó un rugido de desprecio y le lanzó un zarpazo a Clay. Clay se agachó justo a tiempo, apartándose del camino de la zarpa, mientras sujetaba la *Matadragones* en alto con ambas manos.

El grito de *Barbazul* helaba la sangre.

El dragón se agitó presa del dolor, y entonces profirió otro grito y cayó sobre un costado, estremeciéndose.

Clay observó, sorprendido. ¿Habría asestado un tajo al vientre del dragón sin darse cuenta? Examinó la hoja de la espada que tenía en las manos: no había sangre en ella.

Entonces Satya señaló...

—Te dije que vendría.

Detrás de *Barbazul* se hallaba Vicente, sosteniendo un arma familiar. Clay volvió a mirar al dragón. Una pluma roja, el extremo de un dardo sedante, asomaba por un lado del vientre de *Barbazul*, donde las escamas eran más delgadas y suaves.

—¡Satya! —gritó Vicente. Satya corrió hacia su padre y le dio un fuerte abrazo.

—¡Esa horrible científica me aseguraba que no podían echar fuego! —La señora Mauvais apareció no se sabía de dónde, iluminada por el destello de la fuente, sin gritar a nadie en particular—. ¡Especifiqué claramente que quería dragones que no echaran fuego! —Por primera vez, una mancha aparecía en su rostro perfecto, y había un rasguño en su vestido por lo demás inmaculado.

De repente, dirigió su atención del inconsciente dragón que yacía en el suelo a los otros humanos que había en el patio.

—Bueno, no te quedes ahí parado —le dijo a Vicente—. ¡Dispárales también a ellos!

Vicente la miró irritado:

—¡Satya es mi hija!

—Entonces dispara a Cassandra y al chico —respondió la señora Mauvais con impaciencia—. No es más que un proyectil sedante... ¡No hay por qué hacer tanto drama!

—No me quedan proyectiles. —Vicente levantó la escopeta, como demostrando que el cargador estaba vacío.

—¿Tengo que hacerlo todo por mí misma? No los dejes escapar. —Poniendo mala cara, la señora Mauvais desapareció a toda prisa entre las ruinas.

—No es verdad que se te hayan acabado los proyectiles, ¿verdad, papá? —preguntó Satya.

Clay pasó la mirada de *Barbazul* a Vicente.

—Bueno, supongo que le ha enseñado usted a *Barbazul* quién es el que manda, después de todo.

—No, solo ha sido un disparo afortunado —dijo Vicente—. Nos podría haber matado a todos fácilmente.

Parece que tenías razón en lo de que pueden echar fuego. Y puede que también sobre la manera en que he estado entrenándolos.

Clay no dijo nada. Se imaginó que sería difícil para alguien como Vicente admitir que no tenía razón, y Clay no quería violentarlo más.

—Voy a ver si puedo hacer que la cúpula eléctrica vuelva a funcionar. Tal vez no te gusten esos collares, pero en estos momentos son nuestra única esperanza —dijo Vicente—. En cuanto a vosotros, meteos donde no os vean.

Al tiempo que su padre se alejaba corriendo, Satya notó el brazo de Cass. Estaba lleno de sangre.

—¿Qué ha pasado? ¿No tendríamos que hacer algo?

—Seguramente. Estoy perdiendo un montón de sangre —dijo Cass con la cara muy pálida. Su voz sonaba tranquila y nada excitada, pero estaba claro que le dolía muchísimo.

—Vale —dijo Clay, haciendo todo lo posible por conservar la misma calma de que daba muestras Cass—. ¿Qué hacemos?

—¿Alguno de vosotros puede rasgarme la otra manga?

Paso a paso, Cass les fue explicando cómo hacerle un torniquete.

Casi habían terminado cuando oyeron la voz de la señora Mauvais:

—¡No os mováis!

Había regresado, esta vez con Gyorg. Él los apuntaba con un arma. Y no era precisamente una escopeta de proyectiles sedantes, sino una ametralladora.

Con aspecto de guerrillera, con su camisa sin mangas y su brazalete ensangrentado, Cass se colocó delante de Clay y Satya y se dirigió a su anciana adversaria, Antoinette Mauvais.

—Adelante, mátenos. Ya ha matado a muchos, ¿qué son unos pocos más? —dijo Cass con una voz sorprendentemente fuerte—. Pero no vencerá nunca. Eso lo sabe, ¿verdad? Aunque llegue al Otro Sitio. Porque el único lugar en que puede vivir para siempre es el lugar donde nunca encontrará un hogar.

—¿Dónde es eso? —dijo la señora Mauvais sin darle ninguna importancia.

—En el corazón de otro ser humano.

Por un momento, la señora Mauvais se la quedó mirando fijamente, y casi daba la impresión de que las palabras de Cass le hubieran tocado la fibra sensible, pero la mujer se recobró rápidamente.

—¿Llevabas mucho tiempo esperando para soltar esa frase tan bonita? Gyorg, deshazte de ellos. Y esta vez para siempre.

Su risa fría y tintineante quedó enseguida ahogada en un ensordecedor

¡¡¡GRRUUUAAAJ!!!

Otro dragón entraba en liza, pero aquel rugido era nuevo y desconocido. Desconocido para todos salvo para Clay.

Clay habría reconocido aquel rugido en cualquier lugar del mundo.

Abalanzándose sobre ellos, volando directamente hacia el patio que se hallaba delante del castillo en ruinas, había aparecido *Ariella*.

Secretos del Occulta Draco
o
Memorias de un domador de dragones

Nosotros los humanos somos unas criaturas patéticas. Unos bebés llorones, todos y cada uno de nosotros. Otras especies son destetadas a los pocos meses, o como mucho al cabo de pocos años, mientras que nosotros seguimos con nuestros padres en nuestra adolescencia y a veces incluso más allá.

Los dragones, aunque viven mucho más que nosotros, crecen mucho más aprisa. Son criaturas extremadamente independientes. Hasta en la reproducción. Ni machos ni hembras, los dragones se reproducen solos. Un dragón simplemente pone un huevo, y una vez puesto, el huevo no necesita ni incubación ni que cuiden de él de ninguna manera.

Los dragones no tienen las mismas ideas sobre la paternidad y la familia que tenemos nosotros. Cuando un dragón sale del cascarón, puede andar por ahí él solo durante días, muy contento. Y sin embargo un dragón adulto nunca dejaría que un dragón bebé se las arreglara él solo. Los jóvenes son considerados responsabilidad del grupo, y los bebés dragones reciben la enseñanza de los modos draconiles de manos de los dragones adultos, que hacen de maestros.

Los modos draconiles consisten en un lenguaje y algo así como un código moral, pero principalmente también en algo que no podemos comprender porque no somos dragones. En las comunidades de dragones, todos los dragones son iguales: no hay gobernantes. Los modos draconiles hacen posible este tipo de sociedad igualitaria. A un dragón que no sigue los modos draconiles se le considera un perdido y es objeto de desprecio y de compasión por otros dragones.

Naturalmente, ya que los humanos no siguen los modos draconiles, también somos objeto de desprecio y compasión.

Capítulo 21

La llegada de *Ariella*

Clay no vio cómo se escapaban la señora Mauvais y Gyorg, y tampoco le preocupó dónde se hubieran ido. De momento, hasta Cass y Satya le resultaban invisibles. Solo tenía ojos para el amable (más o menos) gigante que estaba en aquellos momentos posándose delante de ellos. Nunca en su vida se había alegrado tanto de ver a un ser vivo, ya fuera dragón, humano o lo que fuera.

Corrió hacia *Ariella*, dispuesto a echar los brazos al cuello del dragón. Sin embargo, algo en el comportamiento de *Ariella* le refrenó de tomarse esas libertades. Se conformó con una sonrisa y un entusiasta saludo con la mano, pues al fin y al cabo uno no podía darle la mano a un dragón.

—Eh, *Ariella* —dijo con torpeza—. Gracias, eh... por venir.

No hubo respuesta a su saludo, solo silencio. El color de *Ariella*, que era por naturaleza un gris pálido, tendía a cambiar con sus cambios de humor y de entorno. En aquel momento, parecía como si una oscura nube de tormenta pasara sobre el dragón, aunque lo cierto es que el cielo estaba despejado.

Aquel no era el reencuentro que Clay había imaginado.

La pierna empezó a movérsele por los nervios. ¿Es que *Ariella* no se acordaba de él? ¿Es que no había acudido a salvarlo?

Ariella pasó la mirada de Clay al inerte dragón que yacía en el suelo. Los ojos de *Barbazul* estaban cerrados, pero en su rostro había quedado impresa una expresión de indignación.

¿Quién ha hecho esto?

Clay sintió la rabia de *Ariella*. Era una rabia intensa de dragón.

¿Lo ha hecho un humano?

Desesperadamente, Clay intentó pensar una posible respuesta: «¿Sí, pero el dragón lo merecía?»; «¿Sí, pero el dragón está inconsciente nada más, no muerto...?».

Antes de que Clay pudiera decir nada en voz alta, se oyó un gruñido bajo y sordo que parecía hacer temblar el suelo. *Barbazul* estaba despertando.

Clay cruzó la mirada con Cass y Satya. Todos dieron un pasó atrás.

Aturdido, *Barbazul* abrió un ojo y empezó a estirarse. Entonces todas las escamas de oscuro acero del lomo del dragón parecieron erizarse al mismo tiempo, como las plumas de un gallo: *Barbazul* acababa de darse cuenta de la presencia de *Ariella*.* Con un rápido temblor, el dragón recién despertado se puso en pie con esfuerzo.

Viendo despertar a *Barbazul*, *Ariella* emitió un potente sonido, casi como la llamada de una ballena, que Clay sintió que significaba algo así como «Saludos, compañero». Y entonces el viejo dragón dobló el cuello, bajando la cabeza casi hasta el suelo, en lo que indudablemente era un gesto de cortesía y de respeto, aunque no de sumisión.

Gruñendo, *Barbazul* miró con recelo al recién llegado. *¿Por qué este gran intruso se parece tanto a mí?*, parecía preguntarse *Barbazul*. *¿Y por qué hace eso de bajar la cabeza? Tiene que ser una trampa.*

Entonces, sin previo aviso, salvo un leve gruñido, *Barbazul* dio un salto, aprovechándose de la postura de *Ariella* para lanzarse a su cuello.

—¡No! —gritó Clay.

Si alguna vez has visto un perro atacando al tuyo, entonces entenderás un poco cómo se sentía Clay. (¡Aunque no es que un dragón se parezca en nada a un perro! ¡Ni que *Ariella* perteneciera a Clay! Pero..., bueno, olvidad que he hecho la comparación).

---

* La piloerección es un fenómeno que se produce en muchos animales, a causa del miedo o del frío. En los seres humanos se llama carne de gallina, y se produce cuando a uno le afecta algo de una determinada manera. Se nos pone carne de gallina en el cuello, en los antebrazos, en las piernas. A nosotros los humanos se nos eriza el vello, pero a otros animales se les erizan las púas (al erizo) o las plumas (al gallo) o las escamas (al dragón).

Pilló por sorpresa a *Ariella*, pero esta era lo bastante fuerte y rápida para rechazar a *Barbazul* antes de que los dientes de su atacante penetraran las escamas de su cuerpo.

Una vez libre, *Ariella* lanzó un rugido a *Barbazul*, una especie de rápida y furiosa reprimenda, y a continuación soltó una llamarada de advertencia dirigida al cielo. Para Clay el significado de aquel gesto quedaba claro: *Ariella* le estaba dando al joven y malhumorado dragón una oportunidad de disculparse rápidamente ante alguien mayor. Porque, si no, sería la guerra.

Barbazul lanzó un bufido en respuesta. Nada de disculparse.

Sin apartar los ojos de *Ariella*, el mezquino e impenitente dragón agitó la cola en el aire, produciendo un potente chasquido. Después, batiendo las oscuras alas, *Barbazul* se levantó del suelo y se mantuvo en el aire, a muy baja altura sobre el patio, provocando a *Ariella* a seguirlo.

Ariella se limitó a observar. Pasaban los segundos.

Cada vez más impaciente, *Barbazul* chilló amenazas a *Ariella*, y finalmente le lanzó una larga llamarada. *Ariella* se retiró de un salto, parando la llamarada con una sacudida de una de sus alas.

Clay, Satya y Cass se apiñaron bajo un voladizo que permanecía entre las ruinas del castillo.

—¿Qué hago...? —se preguntó Clay, acongojado—. No puedo dejar que...

De repente, *Barbazul* descendió desde el aire. Al mismo tiempo, *Ariella* se levantó, agitando sus garras. Por un momento, los dos se enfrentaron de pie, sobre sus patas traseras, los ojos furiosos. Se parecían a los dos dragones de bronce que había en la fuente, detrás de ellos.

Ariella lanzó un potente bramido, y después atacó, arañando el cuello de *Barbazul* con una larga y afilada zarpa, y luego barriendo las patas de *Barbazul* con toda la fuerza de su cola de cuatro metros. *Barbazul* se tambaleó pero enseguida recuperó el equilibrio, escupiendo con furia. Los dos dragones se enseñaron los dientes y se enzarzaron en movimientos tan rápidos que no era posible seguirlos. Un instante estaban en el aire, persiguiéndose uno al otro, y al instante siguiente en el suelo, luchando.

Durante un rato pareció que estaban empatados: el tamaño y la experiencia de *Ariella* contra la energía y la juventud de *Barbazul*. Pero había algo que tenía *Barbazul* y de lo que *Ariella* carecía: el instinto de matar. Cuando parecía que podrían seguir luchando por siempre, *Barbazul* soltó un bramido y mandó una bola de fuego (más grande que ninguna otra que hubiera visto Clay) directamente al pecho de *Ariella*. El mayor de los dos dragones la esquivó lo mejor que pudo, pero un hombro y parte de un ala recibieron el impacto del fuego.

Ariella se tambaleó hacia atrás, con dolor.

—¡*Ariella*! —gritó Clay, presa del pánico—. ¿Estás bien?

Clay levantó en el aire la *Matadragones*, pero antes de que pudiera siquiera pensar en usarla, *Ariella* le reprendió:

¡Apártate! Tú nunca vas a herir a un dragón, ni siquiera a uno que nos hiera a nos.

Clay miró a Satya, pero ella estaba mirando hacia arriba, preocupada por algo del cielo. Se llevaba dos dedos a la boca y dejaba salir un silbido estridente.

De repente, algo iba hacia ellos describiendo una espiral. ¿Otro dragón?

No, demasiado pequeño.

Antes de que nadie pudiera decir qué sucedía, un halcón gris intervino en la lucha y se lanzó contra el ojo de *Barbazul*.

Clay lanzó un grito de alegría:

—¡Bravo, *Hermes*!

Confuso e irritado, *Barbazul* lanzó coletazos para un lado y el otro, intentando espantar al halcón. Impertérrita, *Hermes* picoteaba una vez y otra al dragón, que no paraba de chillar.

Ariella lo observaba desde una distancia segura. (Un humano no tenía permitido atacar a un dragón, pero un ave... Eso era algo que *Ariella* parecía dispuesta a permitir).

Al final, *Hermes* soltó un chillido de victoria y se fue volando por los aires, dejando a *Barbazul* con un montón de sangre donde había habido un ojo amarillo. El dragón tuerto siguió dando vueltas del dolor, aparentemente con miedo de que el halcón pudiera regresar en cualquier momento.

Por un angustioso instante, el ojo bueno de *Barbazul* encontró a Clay, y parecía como si el dragón pudiera volcar su ira en aquel fácil objetivo humano, pero *Ariella* inmediatamente se puso delante de *Barbazul* y gruñó una advertencia.

Chillando con furia, *Barbazul* salió volando en la noche, como un amargo pirata tuerto que zarpara con su barco.

◆ ◆ ◆

Tenemos que irnos.

Ariella estaba tendida en el suelo, para que los pasajeros humanos pudieran subirse más fácilmente. Aun así, Cass hizo una mueca de dolor cuando Clay y Satya la ayudaron a subirse a lomos de *Ariella*. ¿Cómo podía algo ser tan resbaladizo y al mismo tiempo pinchar tanto?

—Tienes que llevarla a su casa inmediatamente —dijo Satya cuando Cass se había colocado bien segura y ellos ya habían saltado a tierra.

Clay miró a Cass, que mostraba valor y hacía todo lo posible por sentarse erguida. Debajo de las manchas de sangre, su brazo iba adquiriendo un extraño color amarillento. Satya tenía razón: Cass necesitaba atención médica lo antes posible.

—¿Qué me dices de ti? ¿Qué me dices de los bebés dragón? ¿Qué me dices de...? —Clay hizo un gesto de impotencia—. No puedo irme sin más.

—Tienes que hacerlo.

Antes de que ella pudiera responder, se asustó al oír crujidos en los oídos:

—Clay, ¿estás ahí?

—Eh... —Era Leira. El gorro volvía a funcionar.

¿Dónde has estado? No importa. Adivina qué ha pasado... ¡Ariella volvió! Y todos empezamos a hacer pantomimas

y a dibujar un mapa para mostrarle dónde estabas tú, y ahora...

—Lo sé. *Ariella* está aquí. Y Cass también. Pero está herida. Aseguraos de que la enfermera Cora está preparada. Lo siento, tengo que irme...

Espera...

Clay se quitó el sombrero y miró a Satya:

—Ven con nosotros —la apremió.

—No puedo.

—Mira a tu alrededor. No te puedes quedar aquí.

Mientras lo decía, *Hermes* volvió y se posó en el hombro de Satya.

—Mira, estaré bien. Tengo a *Hermes*. Y a mi padre. Ahora vete. Antes de que la señora Mauvais te vea.

—Volveré —dijo Clay, que no quería separarse de ella.

—No, no volverás.

—¿Me besarás cuando vuelva? —soltó él, y a continuación se puso colorado.

Satya se rio y también se puso colorada:

—Por supuesto.

Clay sonrió:

—Entonces, sin ninguna duda, volveré.

Sintiéndose mucho mejor de lo que se había sentido en mucho tiempo, Clay cogió la espada y saltó con facilidad sobre el lomo del dragón. O casi. Terminó con los pies colgando a un costado del dragón. Intentando no reírse, Satya le dio un empujón, y con esa ayuda él pudo levantar y pasar una de las piernas al otro lado, tomando asiento delante de Cass.

◆ ◆ ◆

No necesitó decirle a Cass que se agarrara fuerte. En cuanto *Ariella* desplegó aquellas enormes alas, batiéndolas para alzarse por los aires, la mano buena de Cass se clavó en el hombro de Clay.

Se levantaron, y al instante la noche se volvió más silenciosa y fresca, las estrellas más brillantes. Por probar, Clay acarició el lomo de *Ariella.* Estaba inseguro de si el dragón apreciaría, o incluso notaría, su pequeña mano humana, pero sentía la necesidad de establecer aquel contacto.

La última vez que Clay había visto a *Ariella*, el dragón acababa de mudar la piel, y la nueva estaba suave y brillante. Durante el año que había transcurrido desde entonces, las escamas se habían hecho más ásperas, desgastadas. Clay vio diversas rayas y cicatrices que cruzaban el lomo del dragón. ¿De dónde habían salido aquellas rayas? ¿Qué había estado haciendo *Ariella*? Quería saberlo, pero aquel no era el momento de preguntar. Estaba seguro de que la señora Mauvais no le dejaría marchar tan fácilmente. En cualquier segundo esperaba que Gyorg apareciera tras él pilotando un helicóptero, disparando sus misiles al trasero de *Ariella.*

Tenía razón: los estaban persiguiendo. Pero no se trataba de un helicóptero.

Cass levantó la cabeza:

—¡Oh, no... detrás de nosotros! —dijo con voz ronca.

¡¡¡GRRUUUAAAJ!!!

Un dragón de color verde brillante cruzaba el cielo dirigiéndose hacia ellos. Era *Copito de Nieve*, aparentemente recuperado del golpe en la cabeza, y que ahora los perseguía, sin duda bajo las órdenes de *Barbazul*.

Ese dragón... ¿es otro perdido?, preguntó *Ariella*.

—¿Perdido? —repitió Clay, nervioso.

Perdido es un dragón que no sigue los modos de un dragón.

—Sí, es otro perdido, disculpa. —Quiso confiar en que *Ariella* no eligiera aquel momento para educar a *Copito de Nieve* en los detalles de etiqueta de un buen dragón.

Muy bien.

Con decisión, el dragón aceleró, batiendo las alas con tremenda fuerza y después apretándolas contra los costados para ganar velocidad. Sin embargo, *Ariella* había quedado herida en la lucha contra *Barbazul*, y *Copito de Nieve* acortaba la distancia entre ellos con pasmosa velocidad.

—¡Aprisa! —apremió Clay.

Ariella le respondió con algo que Clay no pudo comprender del todo, pero se imaginó que sería alguna palabrota usual entre los dragones.*

Respirando hondo, *Ariella* voló un poco más aprisa, pero *Copito de Nieve* seguía acortando la distancia. Ya estaba casi sobre ellos. Olfateando la victoria, el dragón verde alargó el cuello y abrió las fauces, mostrando varias filas de dientes afiladísimos. Clay tenía miedo de que

---

* Efectivamente, era una palabrota de dragones, que yo no me atrevería a repetir aquí. Ni tampoco podría, pues el idioma real de los dragones no es algo que se pueda reproducir en caracteres latinos.

Copito de Nieve estuviera a punto de morderle la cola a *Ariella*, cuando lo asustó un repentino crujido, seguido de un zumbido potente.

—¿Qué ocurre? —preguntó Cass, despertada por el ruido.

Justo cuando llegaban a la altura del borde del cráter, *Copito de Nieve* soltó un gruñido ahogado y se detuvo de repente, batiendo las alas. Confuso, el dragón cayó hacia atrás por un segundo antes de recuperar el equilibrio y volver a volar hacia ellos a doble velocidad... solo para volver a detenerse, chillando de rabia.

—¡Es el collar de *Copito de Nieve*! —gritó Clay—. Me parece que por fin han conseguido volver a conectar la cúpula eléctrica. Vicente está conteniendo a los dragones.

Efectivamente, mientras *Ariella* se alejaba cada vez más de la Torre de Homenaje, *Copito de Nieve* iba describiendo una espiral descendente hasta quedar de nuevo atrapado dentro de la cúpula, como una carpa en una pecera gigante.

Al fin daba la impresión de que estaban a salvo.

Clay se volvió para compartir aquel momento con Cass, pero ella tenía los ojos cerrados y se le caía la cabeza. Alarmado, le puso la mano en la muñeca buena. Seguía teniendo pulso: tan solo se había quedado dormida.

Capítulo
22

El retorno al Rancho de la Tierra

El trayecto de la Torre de Homenaje al Rancho de la Tierra fue mucho más corto a lomos de *Ariella* que en el hidroavión de Owen. Muchísimo más corto. El dragón no necesariamente volaba más aprisa que el avión, no en términos de velocidad real, medible. Sin embargo, parecía que hubiera una especie de teletransporte, tan sutil que Clay ni siquiera notó cuándo tenía lugar. Parpadeaba, y de repente se encontraba doscientos kilómetros más allá de lo que pensaba.

Así que resultó inesperado (pero esperadamente inesperado) cuando apareció de repente en el horizonte la Isla de Price: una masa gris y humeante.

Segundos después, atravesaban la nieblánica, y Clay pudo distinguir el peculiar perfil de la Peña de la Nariz. Dos figuras estaban sentadas a horcajadas en la roca más alta, mirando al cielo, igual que había hecho Clay tantas mañanas. Saludaron con la mano con mucho entusiasmo. Clay no tenía necesidad de verles la cara para reconocer a Brett y a Leira. Leira se llevó a la boca el aparato de comunicación en forma de caracola y sopló tres veces por él, como si fuera una trompeta. El sonido le hizo daño a Clay en los oídos, pero al mismo tiempo retumbó por toda la isla, anunciando su regreso.

—¡Parece que nos estaban esperando! —dijo con el ruido en los oídos.

Miró a Cass, cuyos ojos estaban parcialmente abiertos, y que sonrió un instante antes de volver a desmayarse.

◆ ◆ ◆

En cuanto se posaron en tierra, llevaron a Cass a toda prisa a la enfermería, donde volvieron a vendarle el brazo y la enfermera Cora le puso una de sus transfusiones misteriosas.

Cass sobreviviría, dijo la enfermera. Su brazo... eso ya no estaba tan claro. Se le había infectado, y era posible que tuviera que amputárselo. Cass se tomó la noticia con estoicismo, como si siempre hubiera esperado perder alguna extremidad, tarde o temprano.

La enfermera Cora insistió en que descansara. Cass insistió en que quería ir a la reunión que iba a celebrar todo el campamento.

Fue justo después del alba. Despertados por el sonido de la caracola, además de por la llegada tumultuosa de un dragón de diez metros de largo, los chicos del campamento habían salido a toda prisa de sus cabañas para acudir a la cúpula geodésica, frotándose los ojos para despertarse. Y en aquel momento Clay se sentía abrumado por la gente que le daba palmaditas en la espalda, incluyendo un Owen muy aliviado, y que miraban con la boca abierta a *Ariella*, que estaba sentada junto a la cúpula con las patas estiradas hacia delante, como una esfinge.

Jonah movía la cabeza hacia los lados, como negando:

—No volveré a ir al váter nunca más sin acordarme de ese dragón.

Clay lo miró sin comprender:

—¿Qué...?

Antes de que Jonah pudiera explicarse, Kwan agarró a Clay del brazo:

—¿Eso que llevas ahí es una espada?

Pablo movió la cabeza de la misma manera, en un exagerado asombro:

—Le das a alguien un chicle explosivo, y cuando vuelves a verlo se ha convertido en un soldado con todas las de la ley.

—Más bien en un caballero con todas las de la ley —dijo Clay, orgulloso y avergonzado a partes iguales—. Esto no es una espada cualquiera: es la *Matadragones*.

Kwan se rio:

—Vale, o sea que ahora te dedicas a la fantasía cosplay.

La cúpula geodésica del campamento tenía algo más de diez metros de diámetro, y consistía en una rejilla de acero, abierta, una construcción que podría uno imaginarse en el patio de una escuela de primaria para que trepen los niños por ella, solo que mayor. Unos pocos se habían colocado encima de la cúpula, pero la mayoría de los chicos del campamento se habían reunido dentro, alrededor de un montón de troncos: una fogata sin encender. Fuera del círculo, pero muy próxima a él, estaba Cass, sentada en una roca y hablando con Owen, Zumbo y el señor Bayley.

—Eh, ¿dónde está Sílex? —preguntó Pablo, mirando a su alrededor—. Normalmente en estas ocasiones él enciende el fuego chasqueando los dedos, para impresionar.

Clay se puso tenso al oír el nombre de Sílex.

—No necesitamos a ese tipo.

«Salvo para que me devuelva el *Occulta Draco*», pensó, y a continuación se volvió hacia *Ariella*:

—Eh, ¿tú no podrías...?

El dragón miró a Clay cansinamente, como diciendo: «¿De verdad me obligas a hacer eso?».

Entonces el dragón se inclinó hacia la cúpula y envió una llamarada en dirección a los troncos. La fogata empezó a crepitar, y los chicos del campamento se pusieron a aplaudir.

—Gracias —dijo Clay, lamentando de pronto que Sílex no hubiera estado allí presente después de todo, para que hubiera presenciado aquello.

El señor B. dio una palmada para concitar la atención de todo el mundo, y entonces le puso una mano a Cass en el hombro:

—Algunos de vosotros conocéis a Cassandra, aquí presente, que lleva tiempo guerreando a nuestro lado, y que ahora ha vuelto a nosotros herida pero entera.

Hubo vítores, pero Cass hizo un gesto con el brazo bueno para que los suprimieran.

—Me ha estado contando los últimos hechos del Sol de Medianoche —siguió el señor B.—. Es peor de lo que nos imaginábamos. Bajo la apariencia de dirigir una reserva de dragones, han estado entrenando a los dragones para que lleven volando a los miembros del Sol de Medianoche al Otro Sitio.

Cass asintió con la cabeza y después habló con esfuerzo:

—Por lo menos eso es lo que pretenden. Parece que han tenido problemas para realizar el viaje, y seguramente mi fuga y la de Clay los retrase un poco, pero conozco al Sol de Medianoche: no abandonarán. Seguirán intentándolo hasta que consigan lo que quieren.

Clay levantó la mano.

—Esto no es el aula, Clay —dijo el señor B.—. Habla.

Clay se puso colorado. Normalmente era el señor B. quien no le permitía a Clay olvidar que en otro tiempo había sido su profesor del Taller de Lengua.

—Bueno, es solo que creo que deberíais saber que los dragones de la Torre de Homenaje son perdidos, o al menos así es como los llama *Ariella*. No saben qué significa ser dragones. Eso los hace más peligrosos.

—¿Por qué?

—Por un lado, no saben volar al Otro Sitio. *Ariella* dice que a un dragón joven le cuesta años aprender a hacerlo bien, pero lo único que hacen todos esos dragones es volar superrápido. Por eso hay un desgarrón en el cielo, encima del cráter. *Ariella* dice que si siguen así, el desgarrón se hará más y más grande hasta que..., bueno, no he comprendido realmente el resto...

Zumbo, sentado al otro lado del señor B., parecía que estaba muy serio.

—Creo que lo que quiere decir el dragón es que se destruirá la separación entre nuestro mundo y el Otro Sitio. No me puedo imaginar cuál sería el resultado. Las leyes de la física, todo lo que creemos que sabemos sobre el mundo natural, quedaría en duda.

—Por eso tenemos que detenerlos —corroboró el señor Bayley.

—¿Cómo? —preguntó Leira—. El Sol de Medianoche ya tiene tres dragones grandes, y media docena que están creciendo.

Clay asintió con la cabeza:

—Se necesitaría un ejército de dragones para detenerlos. ¡Eh, deja de hacer eso!

Algo grande y afilado le estaba dando en la espalda. Miró por encima del hombro, y vio que la cola de *Ariella* le daba golpecitos. El dragón emitía un ruido bajo.

—¿Hay más dragones? —dijo Clay, incrédulo—. ¿Por qué no lo has dicho antes? Ah... o sea que eso es lo que has estado haciendo todo el año, buscarlos... —Y estuvo a punto de añadir: «¡Entonces no me estabas evitando a propósito!».

Mientras Clay escuchaba la respuesta del dragón, los demás pasaban la mirada de él a *Ariella*, confusos.

—¿*Ariella* piensa que esos otros dragones nos pueden ayudar? —preguntó el señor Bayley.

—Tal vez —dijo Clay—. Solo hay un problema. Los dragones están todos en el Otro Sitio. Y pretenden seguir allí, lejos de nosotros los humanos.

Después de lo que habían visto y oído todos sobre el Sol de Medianoche, oír que los dragones se llevaban mal con los humanos no les parecía nada sorprendente.

—¿Se les puede convencer de que regresen? —preguntó Cass.

—¿Qué dices sobre eso, *Ariella*? —preguntó Clay—. Aunque no les interesen las personas, están los bebés dragón. Tal vez podrían querer salvarlos.

El dragón movió su enorme cabeza hacia los lados.

—¿Qué quieres decir, tengo que explicárselo a los demás? —preguntó Clay.

Tragando saliva, Clay se volvió:

—*Ariella* dice que el único modo de que los otros dragones pudieran venir, es yendo yo al Otro Sitio a pedírselo.

—¿¡Qué!? —exclamó Leira—. ¿Por qué?

—Para explicarles por qué deberían preocuparse por nuestro mundo. *Ariella* no puede hacerlo, porque consideran un traidor a cualquier dragón que hable por un ser humano.

El señor B. puso mala cara:

—¿Quieres decir que *Ariella* quiere llevarte a ti al Otro Sitio?

—No estoy seguro de que eso sea una idea tan buena —dijo Cass—. Ya viste lo que le pasó a Schrödinger. —Se volvió al señor B.—. El Sol de Medianoche envió a ese tipo al Otro Sitio como prueba, como quien envía un mono al espacio para ver si vuelve vivo. Y, créeme, cuando volvió, estaba tarumba.

Clay tragó saliva, recordando a Schrödinger cuando daba saltos como un payaso loco.

Sílex había llegado en el medio de la conversación y se apoyaba contra la cúpula, con indiferencia.

—¿En serio vais a mandar a ese niño al Otro Sitio? —Señaló a Clay con un desdeñoso gesto de cabeza—. Miradlo: ¡con todo el trabajo que le costó salir con vida de la Torre de Homenaje! Y solo lo consiguió porque en el último minuto su precioso dragón le salvó el pellejo. ¿Y ahora lo vais a mandar al que seguramente es el viaje más peligroso que haya emprendido nunca nadie? ¿No es ese trabajo para un monitor? —Sílex sonrió. Evidentemente, se refería a sí mismo.

Sin apenas darse cuenta de lo que hacía, Clay se puso de pie, con los puños cerrados a ambos lados de su cuerpo.

El señor B. negó con la cabeza:

—Clay, lo que sea que estés a punto de hacer, no lo hagas. Sílex, esa crítica no ha sido muy constructiva.

—Volveré —dijo Clay apretando los dientes. Cogió la espada *Matadragones*, que estaba apoyada contra una roca, y salió de la cúpula geodésica. Al hacerlo, se encontró con los ojos dorados de *Ariella*, que lo miraban fijamente.

—¿Qué pasa? —murmuró furioso—. ¿No estoy cumpliendo con los modos draconiles?

◆ ◆ ◆

De vuelta en su cabaña, Clay estaba sentado en su cama, furioso. Junto a él tenía aquel casco hortera de montar en monopatín, de estilo falso grafiti, que Max-Ernest le había mandado hacía solo dos días. Parecía como si desde entonces hubiera pasado muchísimo tiempo. Clay cogió el casco y estaba a punto de tirarlo contra la pared cuando se abrió la puerta de la cabaña. Leira y Brett entraron y se sentaron en la litera enfrente de él.

—No le hagas caso a Sílex —dijo Leira.

Brett asintió con la cabeza:

—No será el mayor capullo del mundo, pero está entre los más grandes. Y créeme, yo entiendo de eso.

—Sí, es un capullo —dijo Clay—. Pero tiene razón. Yo estaba loco cuando decidí quedarme allí sin Owen.

De puro irritado, le dio un golpe al casco.

—¿De qué estás hablando? —dijo Leira—. ¡Conseguiste liberar a Cass! ¡Cumpliste con la misión!

—Solo porque apareció *Ariella* milagrosamente. O no tan milagrosamente. Más bien gracias a vosotros, amigos.

—Bueno, no tienes que tomártelo así —dijo Leira.

—Lo siento. —Clay sonrió un instante—. Supongo que debería daros las gracias.

Brett negó con la cabeza:

—¿O sea que te quieres quedar aquí dándole golpes a ese casco mientras Sílex viaja al Otro Sitio?

—¿Por qué no? Él lo niega, pero yo sé que tiene el *Occulta Draco*, de eso estoy seguro —dijo Clay sin dejar de golpear el casco—. Sabe tanto como yo. Y casi respira fuego él mismo.

—Tío, ¿quieres dejar en paz ese casco? —preguntó Leira.

Clay se detuvo, y le vino a la cabeza una idea:

—Esperad un segundo... ¿No decía algo en el *Occulta Draco* sobre un casco?

Cerró los ojos y pensó en lo que había leído en aquellas páginas hacía solo unos días.

◆ ◆ ◆

Diez minutos después, Clay estaba con *Ariella* junto a la cúpula geodésica, intentando persuadir a sus compañeros del campamento de que no se acercaran mucho al dragón, mientras al mismo tiempo les aseguraba que no tenían por qué tenerle miedo.

—Perdón, ¿cómo dices...?

Todos se apartaron para dejar pasar a Leira, que llevaba sobre la cabeza el trineo de tapa de cubo de basura de Clay, y parecía muy enfadada.

—Vale. ¿Quieres explicar por qué demonios necesitabas tu viejo trineo de volcán para viajar al Otro Sitio?

—¡No es un trineo, sino un escudo! —dijo Clay, mucho más animado que un momento antes.

—De acuerdo. Claro. ¡Qué tonta soy!

Sin hacerle caso, Clay cogió la tapadera y la agarró por la correa, y se la pasó por la cabeza hasta dejarla descansar a la espalda. Se puso entonces el casco y levantó en el aire la *Matadragones*, un poco avergonzado pero con mucha decisión.

—¡Estoy listo!

Kwan negó con la cabeza:

—Tío, qué suerte tienes de que no tenga una máquina de fotos ahora mismo.

—No, en serio —dijo Clay—. Escuchad esto... —Y recitó de memoria estas palabras:

No dejes brincar a un dragón cuando estás sobre él,
o dejarás los sesos en el otro sitio.
Pero si tienes que hacer ese viaje de vértigo,
tres cosas te mantendrán aturdido pero despierto:

Primera, la espada de tu enemigo señalará el camino.

Segunda, el escudo que hiciste tendrá a raya
los fantasmas.

Tercera, si no quieres el cerebro medio muerto,
no olvides ponerle un casco antes de salir.

—¿Es una rima infantil? —preguntó Kwan.

—¡No! Es del *Occulta Draco* —dijo Clay—. ¿No lo ves? El trineo es «el escudo que hice». —Dio unos golpecitos en el casco—. ¡El casco que me dio mi hermano es el que tengo que ponerle a mi cerebro «antes de salir»!

Blandió entonces la *Matadragones*:

—Y esta de aquí es la «espada de mi enemigo».

Brett parecía impresionado:

—No es precisamente como yo te vestiría pero, ya ves, creo que has dado con algo.

Pablo alargó la mano y cogió la espada por la empuñadura, corrigiendo la manera en que la cogía Clay:

—Tienes que cogerla así.

—¿Cómo lo sabes? —preguntó Clay con escepticismo—. ¿Has hecho esgrima?

Pablo se encogió de hombros:

—No, pero he hecho tenis de mesa.

Leira miró a Clay de arriba abajo:

—¿De verdad lo vas a hacer?

Clay asintió con la cabeza.

—¿Quieres llevarte algo de comer? —preguntó Brett, y sacó una barra de caramelo de su escondite secreto.

Clay se rio y aceptó la barrita de caramelo.

—Gracias, supongo que me puede entrar hambre —dijo cuando algo le hizo pensar—. No sé lo lejos que voy a ir.

El señor B. se acercó, fijándose en el atuendo de Clay.

—Eso es verdad. No quiero meterte miedo, pero puede ser que despegues y te pases fuera cinco minutos o cinco años. El tiempo es distinto en el Otro Sitio, si es que existe.

Jonah miró a su alrededor:

—¿Así que, por lo que sabemos, él volvió ayer y se esconde detrás de una roca, y ahora mismo nos está mirando?

El señor B. asintió.

—Vaya —dijo Pablo, negando con la cabeza—. Alucinante.

—Alucinante —aceptó el señor Bayley.

—Muy bien entonces, creo que será mejor que me vaya —dijo Clay, que estaba empezando a ponerse nervioso—. Está el problema ese del viaje en el tiempo en que se supone que uno no tiene que encontrarse consigo mismo, ¿no? —bromeó con poco entusiasmo.

Clay se subió al lomo de *Ariella*, cosa nada fácil con su espada y su escudo, y se despidió con incomodidad de sus amigos:

—Deseadme suerte.

Sus amigos le respondieron:

—¡Buena suerte!

—Espera —dijo Kwan—. ¿Y si todo está al revés en el Otro Sitio? Ya sabes, en plan universo paralelo. ¿No tendríamos que desearte mala suerte también, solo por si acaso?

Pero ya era demasiado tarde. *Ariella* se elevó del suelo, dispersando al grupo con un potente batir de alas. Los chicos del campamento se llevaban la mano a los ojos, entrecerrándolos para aguzar la vista mientras Clay y *Ariella* se elevaban más y más, hasta que no fueron más que una motita oscura en el claro cielo azul.

Al cabo de un momento, anunciaron el desayuno, y todos los chicos del campamento se encaminaron hacia la Gran Yurta. Un silencioso nerviosismo dominaba el grupo. Demasiadas cosas dependían de aquel viaje de Clay al Otro Sitio y, sin embargo la naturaleza de su destino seguía siendo completamente misteriosa.

De repente, Jonah se detuvo y señaló:

—Eh, ¿qué es eso?

Sus amigos volvieron al mismo tiempo la cabeza para mirar en dirección opuesta a aquella por la que se habían ido *Ariella* y Clay. En el cielo había otro punto, pero este se iba haciendo cada vez más grande.

—¿Qué dem...? —dijo Leira cuando el punto creció—. Estaba empezando a dar la impresión de... ¿Sería posible?

—¿*Ariella*? —dijo Brett, sin podérselo creer—. ¿Ya? —Habían pasado menos de tres minutos desde que se habían ido.

El punto oscuro era efectivamente *Ariella*, que volvía a la isla a una velocidad de vértigo. El dragón bordeó el volcán y fue a descansar a la orilla del lago. Leira y todos los demás corrieron por delante de las yurtas, hacia donde se había posado *Ariella*.

Al llegar más cerca, pudieron ver a Clay. Algo no iba bien: Clay estaba tendido bocabajo sobre el lomo de *Ariella*, completamente inmóvil. Seguía llevando el casco, pero el trineo convertido en escudo estaba partido por la mitad, y la espada había desaparecido.

Leira y Brett corrieron por la orilla del lago mientras el dragón encorvaba el lomo y el cuerpo de Clay se deslizaba a tierra.

—¿Clay? —preguntó Leira, levantando de la arena la cabeza de su amigo—. ¿Clay?

La cara de Clay estaba pálida y sudorosa. Abrió los ojos, pero sus pupilas estaban dilatadas, y él respiraba de manera irregular.

—Tengo que volver... —musitó Clay, como delirando—. Tengo que volver allí, no aquí...

Corriendo hacia ellos, Cass se llevó la mano a la boca. Clay hablaba igual que cierto vaquero loco que habían conocido en la Torre de Homenaje.

—Volver, volver... —repitió Clay, y entonces se le cerraron los ojos.

Capítulo 23

El viaje al otro sitio

Tres minutos antes

Ariella atravesó como una bala la capa de nieblánica que rodeaba la isla. En unos segundos, navegaban por un cielo sin nubes, por encima del centelleante océano. El viento empujaba el escudo de Clay, hecho con una tapadera de cubo de basura, como si fuera una cometa, y Clay tenía la sensación de que podría desprenderse en cualquier momento del lomo del dragón y salir volando. Y, sin embargo, no pudo resistir la tentación de soltarse por un momento y levantar las manos en el aire, viendo cómo brillaba la espada a la luz del sol. Por un instante maravilloso, se olvidó de todo: de la gente que ponía en él sus esperanzas; de los dragones que se suponía que tenía que traer con él a la vuelta; de todos los peligros que pronto tendría que afrontar... Y se dejó llevar por la emoción del vuelo.

Aquella era la sensación que recordaba.

—¿Cuánto tiempo nos costará llegar? —preguntó, bajando por fin los brazos.

¿A lo que los humanos llamáis el Otro Sitio?

—Sí... Un momento, si tú no lo llamas el Otro Sitio, ¿cómo lo llamas? —preguntó Clay.

Casa.

—Vaya, ¿como si fuera el sitio donde te has criado?

No ese tipo de casa.

—¿Qué tipo, entonces?

Otro tipo.

—Bueno, ¿cómo llegamos allí?

Ya estamos allí.

—¿Ya estamos allí?

Mira a tu alrededor.

Clay miró a su alrededor. Seguían volando sobre el océano. El sol estaba alto en el cielo.

—Parece igual.

Eso es porque tu mente no se ha abierto aún. Estás viendo solo lo que esperas ver. Vuelve a intentarlo.

Clay cerró los ojos y los abrió:

—No noto ningún cambio.

No abras los ojos, sino la mente.

—¿Cómo hago para abrir la mente?

Ariella se quedó un momento callada, tal vez pensando en cómo traducir el conocimiento de un dragón a términos humanos.

Salta.

—¿Qué?

*Salta. No te preocupes. Te cogeré. No lo necesitarás, pero lo haré.**

---

* Seguramente habrás oído que no hay que saltar de un vehículo en

Clay saltó.

Bueno, primero se puso de pie sobre *Ariella*, con el casco aún en la cabeza, el escudo sobre el hombro y los brazos extendidos.

Y entonces saltó.

O se tiró, como si llevara paracaídas. Recordó una imagen de un paracaidista acrobático que se tiraba cabeza abajo y parecía volar por los aires con los brazos abiertos como un águila. Y Clay la copió inconscientemente.

Naturalmente, un paracaidista lleva puesto un paracaídas. Y él lo único que tenía era la palabra del dragón. Estaba aterrorizado.

Estaba en caída libre. O debería estar. Nunca había caído en caída libre hasta entonces, pero suponía que la sensación sería de más rapidez, más frío, más viento.

Sin embargo, parecía como si cayera a cámara lenta. Y después no le dio la impresión de estar cayendo en absoluto, sino más bien de ir flotando por el espacio. No, por el espacio no. Por la luz. Parecía como si viajara a través de la luz, pura y brillante, pero también, de algún modo, suave y amable.

No vio a *Ariella* pasando a su lado, pero estaba allí, esperando para recogerlo, tal como le había prometido. Clay descendió levemente, como si no pesara más que una hoja, y se colocó con suavidad sobre el lomo del dragón.

---

marcha nada más que porque lo diga un amigo. Pero cuando el amigo es un dragón, la cosa cambia… Incluso aunque técnicamente uno no pueda ser amigo de un dragón.

Y de pronto se sintió muy, muy cansado.

Parpadeó varias veces. Le pesaban los párpados.

No te vayas a dormir, le advirtió *Ariella*. *O no regresarás.*

—¿Qué...? ¡Estupendo!

Clay negó con la cabeza y se sentó derecho, recordando lo que decía el *Occulta Draco*: su espada, su escudo y su casco se suponía que lo mantenían «aturdido pero despierto». Obligándose a mantener los ojos abiertos, aferró la empuñadura de la espada, hizo sonar el escudo de tapadera de cubo de basura y tensó la cinta de su casco de monopatín.

—Entonces... ¿es esto? —preguntó mirando a su alrededor. No había mucho que ver, pero la luz se había vuelto centelleante e iridiscente, como si en cualquier momento fuera a surgir algo espectacular—. ¿O hay un lugar particular al que nos dirigimos?

Dímelo tú. Este es tu viaje.

—¿Qué quieres decir? ¿Dónde están los dragones?

Dondequiera que los encuentres.

—¿Tú no sabes dónde están?

Donde están para mí no es donde están para ti. En el Otro Sitio, tú haces tu propio camino.

Mientras Clay intentaba asimilar aquello, apareció una forma en el aire enfrente de ellos. Clay lo observó atentamente, conforme se acercaban.

—¿Eso es una... casa?

¿Tú ves una casa?

—¿Tú no?

En el Otro Sitio, todo el mundo ve cosas diferentes. Aquí ni siquiera los dragones lo vemos todo.

Era una casita blanca como de cuento que iba flotando hacia ellos. A Clay le recordó *El mago de Oz*, salvo que no había ningún tornado soplando por allí. Ni siquiera una ligera brisa.

Cuando se acercaron, Clay vio que la puerta de la casita estaba entornada (había aprendido la palabra «entornada» cuando era pequeño, con una de las adivinanzas y chistes malos de su hermano).

—¿Piensas que debería mirar dentro? —preguntó Clay. Por algún motivo tenía la sensación de que habían dejado la puerta abierta (entornada) para él.

Quizá.

—¿Puedes parar...?

Claro...

—Pues si haces el favor —dijo Clay, impaciente.

Ariella le había animado a hacer aquel viaje al Otro Sitio. ¿No podía mostrarse ahora un poco más servicial?

Ariella fue aminorando la marcha hasta casi pararse, y Clay saltó con algo de miedo a la entrada de delante de la casita. Era como saltar a una barca, o tal vez a un castillo hinchable. La gravedad allí no era una simple sugestión. Clay casi rebota contra el dragón antes de poderse enderezar y dirigirse a la puerta de la casita.

Justo antes de entrar, se volvió para mirar a *Ariella*. ¿Era imaginación suya, o el dragón se estaba alejando?

Adiós, dijo *Ariella*.

—¿No me vas a esperar?

Estaré ahí cuando me necesites.

Y entonces, ante el asustado Clay, el dragón se desvaneció.

Haciendo un esfuerzo por conservar la calma, Clay entró en la casita y se encontró dentro de una habitación diminuta, de paredes de madera, del tamaño de un armario. ¿Qué era lo que le resultaba tan familiar de aquella habitación? Era como si perteneciera a un sueño que tuviera medio olvidado.

En la pared había un letrero de latón que decía:

Entonces comprendió a qué le recordaba aquella habitación: a la entrada de la casa del viejo mago Pietro. Cuando Clay era pequeño, cuando su hermano no era mucho mayor de lo que Clay era ahora, Max-Ernest le contaba a menudo cuentos para que se durmiera, sobre sus aventuras con Cass. Y esos cuentos empezaban a menudo en la extraña casa subterránea de Pietro.

En el cuento de Max-Ernest, la entrada a la casa era un ascensor, activado cuando se pronunciaba la palabra mágica, y esa palabra mágica era «por favor». Por lo visto a Max-Ernest aquello le parecía desternillante, pero Clay nunca lo había encontrado especialmente divertido.

Divertido o no, decir «por favor» no funcionaba. Tal vez no se tratara de la misma habitación. Bueno, por supuesto que no lo era: estaba en el Otro Sitio. Nada sería igual allí.

Clay pensó por un instante. Para él y su hermano, nunca había habido palabras mágicas, solo palabras malas. Es decir, «mala palabra» era su manera favorita de mencionar una palabra mágica.

—Mala... —dijo, y esperó. Como no sucedió nada, añadió—: ... palabra.

Efectivamente, notó una sacudida, y la habitación empezó a descender. El cuento de Max-Ernest se había transformado a conveniencia de Clay.

Cuando se abrió la puerta del ascensor, Clay vio a un viejo con un poblado mostacho gris y ojos luminosos. Llevaba un traje negro y un sombrero de copa, y parecía flotar a un metro del suelo, como un hombre en un cuadro de Magritte.*

—Paul-Clay, si no me equivoco... Bienvenido, mi *caro amico*...

Le hizo una seña a Clay para que se acercara. Este salió del ascensor con un poco de miedo para entrar en... ¿qué? No era una nube. Era más bien como un vacío.

---

* René Magritte fue un pintor surrealista del siglo XX, cuya obra celebra el absurdo con ingenio y sombreros hongos. Tienes que ver en especial el cuadro *Golconda*, en el que aparecen docenas de hombres con abrigo y sombrero, flotando en un entorno de barrio residencial. Otra famosa obra de Magritte, que ciertos magos, escritores y miembros de sociedades secretas podrían apreciar, es *La perfidia de las imágenes*: un cuadro de una pipa encima de la frase «Ceci n'est pas une pipe». Por si no entiendes el francés, te aclaro que en castellano resulta igual de desconcertante. Traducción: «Esto no es una pipa». En ocasiones, la información que se añade en la parte de abajo de una obra de arte puede crear mayor confusión, pero no me dejéis que me vaya por los cerros de Úbeda.

Encontró que podía caminar, pero la sensación era parecida a la de ir nadando.

—Te pareces un poco a tu hermano, pero no recuerdo haberlo visto a él con casco. Ni con espada.

La voz del hombre era cálida y tierna como un pan recién salido del horno, y tenía algo de acento italiano. Clay tuvo la inmediata sensación de que podía confiar en él.

—¿Sabes quién soy yo? —preguntó el hombre.

—¿Pietro? —aventuró Clay—. Mi hermano... me contaba historias sobre usted.

—*Certo* —dijo Pietro con una cálida sonrisa—. Dime, ¿por qué has venido al Otro Sitio? ¿Estás persiguiendo un pollo?

—¿Un pollo?

—¡Ah, no es más que un chistecito! —Pietro hizo un gesto con la mano, como quitándole todo interés—. ¿Tú sabes por qué el pollo cruzó la carretera?

—¿Para ir al Otro Sitio?

—Correcto, pero luego el siguiente que cruza, lo hace persiguiendo al pollo, ¿no?

—Sí —dijo Clay, que todavía no estaba completamente seguro de por dónde iba Pietro, pero ya sospechaba por qué él y Max-Ernest se llevaban tan bien.

—Pero, hablando en serio —dijo Pietro—: ¿por qué estás aquí? Eres demasiado joven. ¡Espero que no hayas venido a quedarte!

—No, he venido... persiguiendo algo, supongo que diría usted. Pero no persiguiendo un pollo. Persiguiendo dragones.

—¡Ah, dragones, sí! —dijo Pietro sonriendo—. Todos tenemos que hacer frente a nuestros dragones. A nuestros miedos más oscuros. A nuestras esperanzas secretas. Esos monstruos a los que tenemos que vencer para encontrar nuestro auténtico yo...

Clay negó con la cabeza:

—Eh... no es eso lo que quería...

—Tu hermano tenía muchos dragones. ¿Quieres saber cuál era uno de los más importantes?

—¿El Sol de Medianoche?

—Bueno, sí, por supuesto. Pero yo estaba pensando en uno más cerca de casa... En ti.

—¿En mí...? —preguntó Clay abriendo y cerrando los ojos.

Pietro asintió con una simpática sonrisa:

—¿Te sorprende? Como les sucede a muchos hermanos mayores, cuando naciste tú Max-Ernest sufrió celos. Sentía que lo estaban reemplazando en el corazón de sus padres. Pero ¿qué sucedió entonces? Tus padres estaban tan perdidos en su propio mundo que él tuvo que cuidar de ti, ¿a que sí?

—Sí, puede ser, durante algún tiempo, aunque ese papel no le duró mucho —dijo Clay, incapaz de mantener su voz desprovista de amargura.

—Puede que no, pero es un gran reto para un adolescente, ser no solo hermano sino también padre. Poner otra vida por delante de la de él.

—Bueno. Pero, de todas formas —dijo Clay—, ese no es el tipo de dragón al que me refería. Me refería a dragones reales. A dragones dragones.

Pietro puso mala cara, decepcionado.

—Dragones dragones. ¡Mmm...! No creo que pueda ayudarte con los dragones dragones. —Miró a su alrededor como para mostrar que no había dragones por allí.

—Bueno, no pasa nada. Pero ¿sabe quién podría ayudarme?

—No tengo ni idea —dijo Pietro, desconcertado—. ¿Existen los especialistas en dragones? ¿Se trata de alguna rama de la zoología de la que yo no tengo noticia?

—Existen los domadores de dragones —dijo Clay.

—Bueno, ahí lo tienes —dijo Pietro con satisfacción—. Entonces tendrás que encontrar un domador de dragones.

—Pero tampoco sé cómo encontrar un domador de dragones —dijo Clay con un suspiro. Al menos *Ariella* le había asegurado que en el Otro Sitio había dragones; pero no tenía ninguna prueba de que hubiera también domadores de dragones.

—Tal vez tendrías que intentar llamar a uno. Por supuesto, en el mundo real esto podría no funcionar, pero aquí... —Pietro se encogió de hombros.

—¿Quiere decir llamar a uno dando un grito... o por teléfono? —preguntó Clay, confuso.

—Da igual. Eso no importa. Pero si te gusta, puedes usar esto... —Levantó un palo negro de punta blanca.

—¿Su varita mágica?

—Uy, lo siento, quería decir esto...

Pietro dio un golpecito en el aire con la varita mágica, y esta se convirtió en un teléfono antiguo, negro, con el auricular y el micrófono en blanco. El cable colgaba inútilmente, sin estar conectado a nada; el cuerpo principal del teléfono no estaba.*

—Eh, muchas gracias —dijo Clay—. Creo que voy a intentarlo gritando.

—Hazlo como quieras —dijo Pietro con amabilidad—. Antes de que te vayas, tengo un mensaje para tu hermano. —Se quitó el sombrero de la cabeza y le dio la vuelta, mostrándole a Clay el interior—. Dile a Max-Ernest que mire debajo del forro. He dejado la última sorpresa para él.

Diciendo eso, Pietro volvió a ponerse el sombrero y empezó a alejarse caminando.

—Eh, ¿no quiere darme el sombrero para mi hermano? —le preguntó Clay, confuso.

—No, no —respondió Pietro con una risita, y desapareciendo de su vista—. Ya lo tiene.

Clay recordó el viejo sombrero de copa que Max-Ernest llevaba en sus espectáculos de magia. Ahora que lo pensaba, era muy parecido. Max-Ernest había poseído aquel sombrero desde que Clay tenía uso de razón. Y también aquel conejo suyo que tenía un nombre tan tonto:

---

* En los viejos tiempos, antes de que los teléfonos fueran chismes que uno se guarda en el bolsillo, los teléfonos constaban de dos partes principales: el cuerpo del teléfono, en el que había un disco para marcar el número; y el auricular, que contaba con un micrófono además del auricular propiamente dicho, de tal manera que los hombres y mujeres primitivos podían hablar unos con otros, aunque no pudieran escribirse mensajes de texto. El auricular se hallaba conectado al resto del teléfono mediante un cable enrollado, como el que aparece aquí.

Quiche. Siempre que quería hacer reír a Clay, Max-Ernest hacía como que *Quiche* hablaba. Tal como lo describía Max-Ernest, *Quiche* estaba siempre enfadado con él, y siempre pidiendo más zanahorias.

Era divertido acordarse de aquellos tiempos. Tal vez *Quiche* hablara de verdad. En los últimos tiempos, Clay había visto cosas más raras, que incluían a animales parlantes.

Clay se dio la vuelta, pensando en volver a montarse en el ascensor, pero el ascensor ya no estaba. Él se encontraba solo en medio de la nada.

Intentando no asustarse, respiró hondo. No había motivo para no seguir el consejo de Pietro y llamar a un domador de dragones. ¿Qué domador de dragones? El autor del libro, quizá. Clay no sabía cómo se llamaba, pero quizá eso no tuviera más importancia que el hecho de usar o no el teléfono.

—¡Estoy buscando al último domador de dragones! ¡Al escritor del libro! —Sintiéndose bastante idiota, Clay gritaba lo más alto que podía, pero su voz no parecía llegar muy lejos en aquella tierra inexistente—. ¡Soy un seguidor del *Occulta Draco*!

Esperó, sin saber qué esperaba realmente ni qué haría en caso de que no hubiera respuesta.

La espera no fue larga. En cuanto Clay estaba empezando a bostezar, vio aparecer un arco de piedra donde se había hallado el ascensor. Tras él había una estrecha escalera que subía.

Muy nervioso, Clay subió por la escalera. Era larga y empinada, con cientos de escalones. Ascendió, jadeando, hasta que tuvo que pararse para recuperar el aliento.

Procedente de lo alto, oyó una voz:

—¡Sigue subiendo! ¿Te dan miedo unos escaloncitos de nada? ¡Un domador de dragones tiene que tener buenas piernas!

Unos escaloncitos de nada, muy bien. Las piernas de Clay no podían más, de subir toda aquella escalera con el peso añadido del escudo y la espada, pero al final llegó a lo alto.

Había un hombre delante de una fuerte puerta de madera cuyo marco brillaba. Llevaba un viejo chaleco de cuero, tenía un largo cabello negro peinado hacia atrás, y miró a Clay a los ojos con una intensa mirada.

—Hola —dijo Clay.

—Mmm —respondió el hombre—. ¿Sabes por qué estoy aquí?

«Porque yo le he llamado», pensó Clay, pero no lo dijo.

—Estoy aquí para juzgar si eres digno de encontrarte con los dragones. Hasta el momento no me has dejado muy impresionado.

—¿Cómo sabía que he venido para eso?

—Me lo han dicho los dragones.

—¿Y ellos cómo lo saben?

—Los dragones tienen una experiencia del tiempo distinta que nosotros. En cierto sentido, ya los has encontrado. Ellos viven al mismo tiempo hacia delante y hacia atrás.

—Bueno, entonces ¿por qué no puedo simplemente verme con ellos? Me está usted haciéndomelas pasar negras sin motivo.

—No es así como funciona la cosa.

—Tengo que verlos para pedirles ayuda —dijo Clay.

—No. No verán ninguna razón para que un dragón ayude a un humano.

—¿Tendría que intentar primero aliarme con ellos?

—¡No! Eso sería peor. Estos dragones tienen mucho orgullo. Si intentas hacerles favores o empezar a cantar... —Los ojos del domador de dragones se fueron a la espada que Clay tenía en la mano. Su expresión se ensombreció—. Esa espada... ¿es la que llaman *Matadragones*?

Clay asintió con la cabeza.

—Es un objeto malvado. No es una espada digna de un domador de dragones. Deshazte de ella. Si los dragones la ven, te quemarán vivo.

—Pero... pero su poema decía que tenía que traer una espada del enemigo —balbuceó Clay.

—Eso no es más que un viejo dicho, ¡y no creo que el que lo inventara estuviera pensando en la *Matadragones*! Pero quizá... —El domador de dragones frunció el ceño—. Tal vez la espada resulte útil, después de todo. Te mandaré ante los dragones, si quieres. Pero te lo advierto: la cosa puede terminar mal.

—Gracias —dijo Clay, preguntándose qué significaría exactamente eso de terminar mal—. ¿Podía morir uno en el Otro Sitio? ¿O, sencillamente, quedarse atrapado en él?

—Te harán tres preguntas.

—¿Qué preguntas?

El domador de dragones se encogió de hombros:

—Las preguntas no importan. Lo que importa es cómo las respondas.

—¿Cómo debería responderlas?

—El único consejo que puedo darte es que te tomes tu tiempo para pensar. Años, si quieres.

—¡No dispongo de años!

—A los dragones les gusta hablar de manera lateral, dándole la vuelta a un problema. Para ellos, una respuesta rápida es una respuesta descuidada.

—De acuerdo. Responderé despacio. ¿Y luego qué? Si les gustan mis respuestas, ¿les pido que me ayuden?

—No. Ellos ya saben por qué estás allí. Diles que tienes un regalo para ellos.

—Pero no tengo ningún regalo.

—La espada. Puede que no les guste, pero les alegrará saber que no volverá a ser usada nunca contra un dragón.

Clay asintió con la cabeza, y añadió:

—Y el Sol de Medianoche no podrá usar la sangre reseca que tiene para volver a hacer clones de dragón...

—¿Qué? —Aquel domador de dragones que todo lo sabía se quedó completamente perplejo.

—No importa —dijo Clay—. Yo tampoco entiendo muy bien cómo lo hacen.

—Envuelve la espada con esto. —El domador de dragones entregó a Clay un trozo de tela hecho jirones.

—¿Cómo los encuentro? —preguntó Clay.

—¿A los dragones? Bueno, no los busques. Eso siempre es una equivocación.

—¿Los llamo, entonces? ¿Como le llamé a usted?

—¿Como a un niño o a una mascota? ¡Jamás! Se sentirían muy ofendidos.

—Entonces, ¿cómo?

—Cierra los ojos. Deja que te encuentren ellos.

—Vale, eh, gracias. —Empezó a cerrar los ojos, pero los volvió a abrir—. Usted no se va a ir, ¿verdad?

—No. Te irás tú.

Cuando Clay abrió los ojos, comprendió lo que quería decir el domador de dragones. Ahora Clay estaba al otro lado de la puerta, en una especie de barranco.

Era de día. No, eso no era correcto. Era de día donde él estaba, con un brillante cielo azul; pero a lo lejos era de noche, el cielo de un morado oscuro, con estrellas titilantes. Como si mirara a otra zona horaria distinta. O como si en aquel lugar todas las zonas horarias fueran una.

Justo enfrente de él había una formación rocosa, gris, descomunal. Más allá, en el barranco, había unos pocos árboles esparcidos, pero sobre todo había nuevas formaciones rocosas. Cientos y cientos de ellas. Escarpadas, recortadas, amenazantes. Una blanca niebla se arremolinaba a su alrededor, como un arroyo.

—¿Hola...? —dijo Clay, por probar.

Se dio la vuelta. No había señales de vida. No se veía ni una mosca, no digamos ya un dragón.

Se dio la vuelta otra vez. Cuando hubo dado la vuelta entera, la formación rocosa más próxima había desaparecido, y en su lugar había un enorme dragón, mirándolo. Un dragón que habría dejado a *Ariella* pequeña a su lado, y habría hecho que *Barbazul* pareciera un cachorrito.

Detrás del dragón, otras formaciones rocosas temblaban, como en medio de un terremoto. Poco a poco, Clay pudo distinguir hombros curvados, alas plegadas, colas enroscadas: las rocas eran dragones.

El dragón que tenía delante parecía viejo en el mismo sentido en que lo parece una montaña: daba la impresión de que hubiera necesitado millones de años para crecer, y necesitaría otros millones de años para derrumbarse y volver a la tierra. El dragón respiró, y sus escamas se erizaron, provocando brillos plateados a lo largo de su enorme cuerpo.

Hola, humano.

—Eh... hola... —balbuceó Clay.

¿Hola qué más? ¿Hola, dragón? ¿Hola, señor dragón? ¿Señora dragona...? No, los dragones no eran ni macho ni hembra.

Me puedes llamar El Viejo, dijo el dragón, como si hubiera oído los pensamientos de Clay (cosa que probablemente había hecho).

Tenemos tres preguntas para ti, humano. Si las respondes como es debido, consideraremos tu petición.

«Responder como es debido», pensó Clay. «¿Eso será lo mismo que responder correctamente?».

—De acuerdo —dijo Clay—. Dispara. —En cuanto salió de su boca aquella palabra, «dispara», la lamentó: no solo la frase era coloquial en un sentido que no podría apreciar el dragón, sino que cabía la posibilidad de que el dragón se tomara las palabras literalmente y le disparara fuego.

Afortunadamente, *El Viejo* no pareció darse cuenta.

Aquí tienes la primera pregunta, humano, dijo el dragón. *¿Cuál es el peor error que puede cometer un dragón?*

Clay tuvo una inmediata sensación de alivio: sabía la respuesta a aquella pregunta por haber leído el *Occulta Draco*. Pero recordaba el consejo del domador de dragones de que no respondiera muy rápido, así que agachó la cabeza y fingió que meditaba sobre ello.

—Un dragón no puede cometer errores —dijo despacio—. Haga lo que haga un dragón, ha sido hecho. No es ni acertado ni equivocado: simplemente es.

Sí, simplemente es. El dragón asintió con la cabeza, aunque no parecía encantado con la respuesta de Clay.

Clay esperó durante lo que a él le pareció muchísimo tiempo, que para un dragón tal vez no fuera más que un abrir y cerrar de ojos. Finalmente, el dragón volvió a preguntar:

¿Cuál es el peor error que puede cometer un humano?

Aquella pregunta era más traicionera. ¿Matar a un dragón, tal vez? No. Demasiado arriesgado. Un dragón se ofendería por la sola idea de que un humano pudiera matar a un dragón.

Pensó otro instante. Seguramente un dragón pensaría que cualquier cosa que hiciera un humano sería un error.

—Pensar que es como un dragón, que no puede cometer errores. Ese es el peor error que puede cometer un humano.

El dragón miró a Clay sin indicar aprobación ni desaprobación. A Clay le sudaban las manos. ¿Había respondido demasiado deprisa? Hubiera querido tomarse su tiempo, pero los nervios le habían jugado una mala pasada.

¿Cuál es el mayor error que has cometido tú?

Clay pensó en todos los errores que había cometido en su vida. ¿Cuál era el peor? Y ¿quería de verdad contárselo a *El Viejo*? Si el error era realmente terrible, ¿el dragón no lo consideraría indigno de su ayuda?

Pero entonces pensó que quizá su peor error fuera uno que él no sabía que había cometido. Por ejemplo, venir al Otro Sitio podría haber sido su peor error. O tal vez no fuera ningún error. No había modo de saberlo.

Lamentó que su hermano no estuviera allí para ayudarle con el acertijo. «Pero esto no es un acertijo», diría su hermano. «¡No es más que una pregunta!».

«Sí, sí, lo sé», respondió Clay en su mente. «¿Siempre tienes que ser tan lógico?».

—El peor error que he cometido yo es no perdonar los errores de otros —dijo por fin. Tal vez había llegado la hora de perdonar a Max-Ernest. Eso era lo que Pietro había intentado explicarle, ¿no?

No tienes razón.

—Bueno, ¿cómo puedes tenerla tú sobre algo así? Quiero decir...

Sí.

Hubo un largo silencio. Clay no estaba seguro de si tenía que hablar o cuándo se suponía que tenía que hacerlo.

—Tengo un regalo para ti —dijo, incapaz de soportar por más tiempo el silencio. Desenvolvió la espada y la posó delante del dragón.

El dragón lo miró fijamente.

—Se llama *Matadragones* —dijo Clay, nervioso.

Sé cómo se llama, humano, bramó el dragón. *¿Te atreves a llamar a esto un regalo? ¿A este objeto que ha matado a tantos de los nuestros?*

—La iba a destruir, pero pensé que preferirías hacerlo tú —dijo Clay, tratando de vencer el miedo—. Ya sabes, para estar seguro de que se hace bien.

¿Has usado esta espada tú mismo? ¿Has derramado sangre de algún dragón?

—¡No, nunca! —declaró Clay con toda sinceridad. En voz baja, le dio gracias a *Ariella* por prohibirle emplear la espada.

Hubo otro silencio largo e incómodo. Incómodo para Clay, no para el dragón.

Muy bien, dijo el dragón al final. *Has hecho bien en traernos la espada. Te ayudaremos, y salvaremos a nuestros jóvenes si pueden ser salvados. Pero cuando lo hayamos hecho, volveremos aquí y cerraremos la puerta tras nosotros. Nosotros los dragones hemos terminado con vuestro mundo, y vosotros habéis terminado con el nuestro.*

Clay quería decir qué grande era aquella idea, cuánto amaba y admiraba a los dragones, más incluso que los monopatines y los grafiti, y los animales y la magia y todas las demás cosas que también amaba (bueno, los dragones eran magia, pero aun así...), y cuánto le gustaría que hubiera siempre dragones en el mundo, y qué triste y aburrido sería el mundo sin ellos, pero todo lo que dijo fue:

—Gracias.

Capítulo 24

El asalto al laboratorio

Esa misma tarde, un poco después

Satya había dejado de tener miedo. Por lo menos de la señora Mauvais. Y de los dragones. Y de quedarse atrapada en medio de una selva que se encontraba en medio de un cráter que se encontraba en el medio de un desierto. Porque pensaba que ya había visto lo peor de todo aquello, y había sobrevivido.

Sobrevivido. Como Cass. La obsesa de la supervivencia. El nuevo modelo de Satya. Cass no tenía miedo de nada.*

De momento.

No tener miedo no era razón para no andarse con cuidado.

* Sé que eso no es cierto: Cass tenía miedo de muchas cosas. Miedo a la deshidratación. A ciertos acontecimientos que podían provocar la extinción. A las bolsas de plástico. Si he dicho que Cass no tenía miedo de nada, ha sido metiéndome en la mente de Satya.

Por supuesto, tenía con ella a *Hermes*, que era su espía, su guardaespaldas y su arma secreta. Pero *Hermes* era impredecible cuando se trataba de dragones. Por decir las cosas con suavidad.

Miró el edificio del laboratorio, tratando de estudiarlo de una manera analítica.

Entrar en él no sería muy difícil, porque seguía teniendo las llaves de Gyorg. Lo que sería más difícil sería salir. La mayoría de los trabajadores de la Torre de Homenaje estaban ocupados poniendo a salvo materiales del castillo y construyendo refugios temporales. Sin embargo, era más que posible que uno o más guardias estuvieran buscándola. Hasta podrían hacerlo usando un helicóptero.

Y además estaba *Barbazul*, que seguía por allí suelto. Esperando para vengarse. *Copito de Nieve* y *Rover* estaban otra vez dentro de la cúpula eléctrica, pero hasta entonces *Barbazul* había conseguido no ser capturado. El dragón o bien había encontrado un modo de desactivar su collar, o bien había volado tan lejos que el collar ya no funcionaba allí. Todo el personal del Sol de Medianoche tenía la orden de disparar a aquella amenaza tuerta en cuanto la vieran.

Satya había visto salir del laboratorio a la doctora Paru. Entonces esperó cinco minutos enteros para asegurarse de que la científica no regresaba. (Si Satya había esperado encontrar una aliada en la doctora Paru, había dejado de tener esa esperanza: la doctora Paru estaba demasiado ligada a la ciencia, o bien tenía demasiado miedo de la señora Mauvais, o sencillamente estaba demasiado bien pagada, para cuestionarse lo que hacía el Sol de Medianoche). Y ahora era el momento. Satya abrió la puerta del laboratorio y se dirigió rápidamente hacia las incubadoras. *Hermes* estaba tensa, incluso temblando un poco, pero parecía que había comprendido que tenía que guardar silencio.

Los pequeños dragones, por el contrario, chillaban ruidosamente. La última vez que habían visto a *Hermes*, esta los había alterado muchísimo, y parecía que lo recordaban. Satya no estaba segura de si veían al halcón como amigo, como enemigo o como alimento, pero lo que estaba claro es que no encontraban relajante su presencia.

Una a una, les fue abriendo las jaulas. Primero a los cuatro bebés, a los que llamaba Louis, Percy, Sarah y Garby (todos ellos nombres que había dado a anteriores mascotas suyas). Después soltó a Houdini y Bodhi, quitándoles con cuidado la capucha y la soga. Pese a lo tranquilo que estaba normalmente, Bodhi no se hallaba tranquilo en aquel momento. Ninguno de ellos lo estaba. En la sala había un caos total. Las garras arañaban las paredes. Las botellas caían al suelo y se rompían.

Intentando asumir un aire de tranquila autoridad, Satya cogió una nevera portátil llena de carne (lo único que conseguiría atraer la atención de los dragones) y salió de la sala. Los pequeños dragones la siguieron, luchando por los sitios más cercanos a la nevera. Más que una cola recta, formaban una inquieta pelota negra. *Hermes* pastoreaba a los dragones, intentando que fueran todos en la misma dirección, como hace un perro pastor con un rebaño de ovejas.

Sorprendentemente, el variopinto grupo salió de allí sin interrupciones. Parecía que estaban solos. Satya soltó un suspiro de alivio mientras dirigía hacia delante a su grupo.

Su padre, de eso estaba segura, la ayudaría cuando llegara el momento. Tendrían que irse aquella misma tarde, fuera como fuera. Él se lo había prometido, y ella se encargaría de que cumpliera la promesa. Pero no podían irse sabiendo que todos aquellos dragones seguían en cautividad, propiedad del Sol de Medianoche.

Así que se llevarían a los dragones, pero ¿cómo? Tenía la vaga imaginación de que ella y su padre meterían en un helicóptero a los seis dragones y a *Hermes* y escaparían a un lugar desconocido. Una isla, tal vez. O algún lugar del océano Ártico.

¿Era aquello realista? Seguramente no. Los dragones no querrían ser confinados en un helicóptero. ¿Cuánto tardarían en amotinarse? Y aunque ella y su padre consiguieran llevarlos a otro lugar, ¿qué harían con ellos cuando fueran más grandes? Y, sin embargo, ¿qué otras opciones les quedaban?

Paso a paso, se dijo. O salto a salto, en el caso de los dragones.

Notó primero el silencio.

Los ruidos y los gritos, la lucha y los revoloteos..., de repente, todo se había detenido.

Bajó la vista: ya no había garras ni dientes arañando ni mordiendo la nevera.

Se volvió: ¿dónde estaban los dragones?

Un helecho grande atrajo su atención. Un par de ojos amarillos la miraban desde la sombra, bajo el helecho.

Satya vio, uno tras otro, a los pequeños dragones que observaban a su vez desde el follaje. Estaban tranquilos pero alerta, inquietos. Sonrió, insegura. ¿Se estaban escondiendo de ella? ¿Se trataba de algún tipo de juego? No, no parecían en absoluto interesados en ella. Era otra cosa. Algo que temían.

Hermes le susurró al oído.

Despacio, Satya elevó los ojos al cielo.

Era *Barbazul*.

Capítulo

25

El trueno de dragones

—... Y entonces *El Viejo* bosteza: un enorme, enorme bostezo de dragón, con una gran lengua llena de bultos y grandes dientes rotos, filas y filas de dientes y todo eso. Y de repente hay como la mayor tormenta de viento que haya habido nunca, una tormenta de viento caliente y oloroso que me manda volando, y supongo que me golpeé la cabeza y perdí el sentido, o tal vez el aliento del dragón contuviera algún tipo de gas durmiente, y supongo que después *Ariella* me encontraría y me traería de vuelta aquí, porque aquí he despertado, en Yurta Pota, con un dolor de cabeza insoportable y con vosotros mirándome como si tuviera monos en la cara o qué sé yo, y... —Clay titubeó, nervioso—. Un momento, no tengo monos en la cara, ¿verdad? Quiero decir, no me pasa nada, mi aspecto es normal, espero...

Leira y Brett lo miraron atentamente:

—Define «normal» —dijo Leira.

Brett asintió con la cabeza, como calculando:

—Sí, es difícil de decir, sin saber cuál es la medida de lo normal.

—Vosotros siempre dando ánimos.

Clay se sentó y observó la sala redonda, que estaba llena de misteriosos ungüentos y hierbas medicinales.

—Entonces no están aquí... ¿o sí? —preguntó mirando por la ventana. Lo único que se veían eran árboles.

—¿Quiénes? —preguntó Leira.

—*El Viejo*. Y los demás dragones.

—¿Aquí en el campamento? ¿Tendrían que estar aquí?

—Sí, bueno... —dijo Clay—. Es que, si no están aquí, entonces todo el viaje habrá sido para nada, ¿no?

—¿Por qué dices eso? —preguntó Brett—. Suena bastante sorprendente, si quieres mi opinión. Has conseguido llegar adonde nadie consigue ir, o al menos, esto... a un sitio del que nadie consigue volver.

—¿Sí? ¿Cómo sé que no fue un sueño? —Agitado, Clay retiró la manta que lo cubría—. Ni siquiera estoy seguro de que los dragones fueran reales.

Antes de que pudieran responder los amigos de Clay, alguien tiró hacia atrás la portezuela de la yurta, y Jonah asomó la cabeza:

—Eh... ¿chicos? —dijo dubitativo—. Tal vez queráis echar un vistazo a esto.

Frotándose los ojos, Clay se levantó de la cama, y todos se asomaron por la puerta. Jonah apuntó con el pulgar por encima del hombro, en dirección a las nubes.

El horizonte se había poblado de figuras negras ondulantes.

Dragones, cientos de dragones, cruzaban el cielo dirigiéndose recto al Rancho de la Tierra.

◆ ◆ ◆

Y ahora ha llegado el momento de responder a una pregunta que (si te pareces a mí en algo) te habrá estado reconcomiendo durante los últimos capítulos:

¿Cómo se llama a un grupo de dragones? En otras palabras, ¿cuál es el nombre correcto? ¿Bandada? ¿Rebaño? ¿Ejército?

Respuesta breve: hay varias respuestas.

Mientras que a un grupo de huevos de dragón se le puede denominar «nidada», un grupo de dragones muy pequeños es una «camada», y un grupo de dragones adultos es a menudo conocido como «reata». Pero eso es solo si están en tierra. A un grupo de dragones acuáticos se le puede llamar «banco». Un grupo de dragones que surcan los cielos es una «bandada», aunque algunos insisten en llamarlo «estampida» o «trueno».

Si tú te hubieras encontrado entre los dragones que llegaron en masa sobrevolando el cráter, pienso que estarías de acuerdo en esa última palabra, «trueno». Con tantas alas batiendo a la vez, era como hallarse dentro de un huracán; y por si eso no bastara, sus bramidos y llamas escupidas por la boca producían una rabiosa tormenta que tenía mucho de atronador.

En fin, Clay fue el único humano que experimentó aquella tormenta. Leira y Brett hubieran querido ir con él, por supuesto (como el resto de los amigos de Clay), pero

Clay había insistido en que no era necesario. (De hecho, le había preguntado a *El Viejo* sobre la posibilidad de llevar a sus amigos, y lo que había recibido como respuesta fue un furioso sermón sobre la diferencia entre los dragones y los animales de carga). Si todo un trueno de dragones... (¿una «flota»?) no podía manejar el asunto, ¿iba a poder un montón de niños? A cambio, Clay había aceptado llevar otra vez el gorro de lana, esta vez debajo del casco de patinar. La cabeza le picaba y tenía más calor en ella que nunca, pero agradecía la protección extra, especialmente con todas aquellas bolas de fuego que pasaban por su lado.

Cuando los dragones descendieron sobre la Torre de Homenaje, las alas de unos se acercaban mucho a las de otros, y entre todas oscurecían el cielo como una especie de gran capa. Mirando por encima del cuello de *Ariella*, Clay tuvo que aguzar la vista para ver qué sucedía allí abajo. Habían pasado menos de veinticuatro horas desde que dejara la Torre de Homenaje, pero en aquel tiempo habían realizado enormes cambios. Los muros que quedaban del viejo castillo habían sido derribados, y ya se estaba levantando el armazón de un nuevo edificio. La mayoría de los escombros habían sido cuidadosamente apilados o retirados ya.

¿Qué pinta tiene ahí abajo?, le preguntó Leira por el gorro de lana.

—Lo único que te puedo decir es que el Sol de Medianoche trabaja increíblemente rápido.

A aquella velocidad, la Torre de Homenaje volvería a estar en funcionamiento en unos días. Pero Clay no pensaba permitir que eso sucediera. Y tampoco los cientos de dragones que volaban con él. El plan era muy sencillo: todos los humanos y dragones tendrían que irse del cráter. A la fuerza, si era necesario. El laboratorio sería destruido. El Sol de Medianoche tendría que irse a otra parte.

Posándose en el borde del cráter, la mayoría de los dragones tomaron posiciones en las laderas de este. Se posaron como enormes gárgolas, guardando los caminos que llevaban al desierto.

Mientras tanto, *Ariella* se puso al frente de un grupo más pequeño de dragones para bajar hasta el fondo del cráter y comenzar una batida.

¿Dónde estaría Satya, en qué parte de la oscuridad de allí abajo?, se preguntaba Clay. ¿Habrían escapado ya ella y su padre? Por su seguridad, esperaba que lo hubieran hecho. Y, sin embargo, por otro lado, no deseaba otra cosa que volver a verla.

Lo primero es lo primero, le reprendió *Ariella*. *Los recién salidos del cascarón: ¿dónde están?*

Desde encima de las tiendas, Clay hizo girar a *Ariella* para dirigirse al laboratorio. El gran edificio estaba oscuro, y no había nadie cerca de él.

—Ahí es donde están las crías —le dijo a *Ariella*, señalando el laboratorio.

Ariella se dirigió hacia la entrada, y después, de repente, frenó antes de posarse.

¿Estás seguro? Yo no los siento.

—En realidad no —dijo Clay mirando al edificio—. Yo también tengo la sensación de que algo no encaja.

Dieron varias vueltas en torno al laboratorio, ampliando el círculo cada vez. Clay empezó a inquietarse.

Entonces oyó un graznido que le resultaba familiar. No demasiado lejos del edificio del laboratorio, *Hermes* estaba posada en la rama de un árbol que colgaba sobre un sendero en medio de la selva. Debajo de ella, seis dragoncitos saltaban frenéticamente, con miedo. Y allí, entre ellos...

—¡Tenemos que bajar ahí ahora!

Ariella se posó, y Clay bajó a tierra de un salto:

—¡Satya!

Al acercarse Clay, los pequeños dragones bufaron, pero *Ariella* les hizo callar con un severo gruñido.

—¿Clay?

—Te dije que volvería.

Satya se incorporó, temblorosa, y se apoyó contra la nevera portátil. Estaba pálida y exhausta, pero no herida.

—¿Qué haces con ese casco? —preguntó, mirando las palabras que llevaba escritas, a estilo —. ¿Es tu nuevo *look* radical?

Clay se puso colorado:

—Es una larga historia. ¿Te encuentras bien?

—Sí, me caí... pero estoy bien... Solo estaba recuperando el aliento. *Barbazul* estaba a punto de saltar sobre nosotros, y un segundo después el cielo se llenó de dragones, y *Barbazul* se largó... —Señaló con un gesto a los dragoncitos—: Esos chicos estaban muy asustados.

—Ya no parecen nada asustados —observó Clay.

Mientras ellos hablaban, *Ariella* también había empezado a hablar en un bajo susurro con los dragoncitos. Estos gemían con voces lastimosas, pero estaban sentados en el suelo y quietos, con los ojos fijos en el dragón adulto. Incluso Houdini y Bodhi.

—Me imagino que *Ariella* les está hablando y metiendo algo de sensatez —dijo Satya sonriendo—. Entonces, ese ejército de dragones de ahí... ¿lo has traído tú?

Clay se encogió de hombros, como si aquello no fuera nada.

—¿Esos...? No son más que unos pocos centenares. Poca cosa —dijo sonriendo.

Satya asintió con la cabeza.

—Sí, vale. Es verdad que no son gran cosa.

Los dos se rieron.

—¿Estás lista para subir conmigo a lomos de *Ariella*?

Los ojos de Satya brillaron de emoción.

—¿Tengo que volar contigo?

Clay sonrió.

—¿Para qué te crees que he venido? Quiero decir... ¿hay algún problema? —dijo, como rectificándose.

El dragón resopló de un modo que parecía significar: «¿Ahora lo preguntas?».

—¿Y qué pasa con los pequeños? —preguntó Satya.

Los dragoncitos se habían levantado y estaban en posición de firmes, como *boy scouts* draconiles. Todos a la vez, inclinaron la cabeza ante *Ariella* e hicieron un extraño sonido con la garganta.

—Bueno ¿qué dices tú? —le preguntó Clay a *Ariella*—. ¿Son perdidos?

Ya no, dijo *Ariella*, con un ligero deje de orgullo.

◆ ◆ ◆

Fue un vuelo breve, de menos de medio kilómetro. Para Satya, sin embargo, fue memorable. Era la primera vez que volaba sobre un dragón. Para Clay fue memorable también, pero por un motivo distinto: era la primera vez que Satya lo rodeaba con los brazos, aunque solo fuera para no caerse.

Los cuatro dragones más pequeños iban también montados a lomos de *Ariella* o, más exactamente, sobre las alas de *Ariella*. Daba la impresión de que encontraban muy divertido aquello de subir y bajar una vez y otra.

Los otros dos dragoncitos que eran ligeramente mayores, Houdini y Bodhi, volaban tras ellos, volviendo todo el tiempo la cabeza hacia los lados. Les habían dado instrucciones de que siguieran mirando en todas direcciones, y estaban dispuestos a seguir las instrucciones al pie de la letra.

Habían guardado las tiendas de los huéspedes, o lo que quedara de ellas, y Clay y Satya no vieron señales de vida hasta que se acercaron al patio del castillo.

◆ ◆ ◆

Los dos dragones de bronce que había en el centro de la fuente del patio se habían desplomado, y había una grúa colocada allí cerca, preparada para volver a levantarlos hasta su posición. Mientras *Ariella* se deslizaba hasta posarse al lado de la fuente, uno de los Land Rover casi chocó con ellos, y después rozó la parte de abajo de la grúa.

Charles se asomó por la ventanilla del conductor:

—¡Austin, tengo que reconocerlo, tú sabes hacer una aparición!

Le sonrió a Clay, aparentemente sin preocuparse por las docenas de dragones que escupían fuego y volaban justo por encima de él:

—Me quedaría a charlar un rato, pero a Reginald y Minerva, aquí presentes, les espera una partida en Palm Beach. Y, francamente, todos estos dragones están empezando a ser un rollo... —Los Wandsworth estaban sentados muy tiesos en la parte de atrás, mirando hacia delante, con montones de maletas de aspecto muy caro tras ellos.

—¡Hasta que volvamos a encontrarnos! —dijo Charles. Con un informal gesto de la mano, pisó el acelerador y emprendió el camino de salida.

«Eso es lo que yo llamo *blasé*», pensó Clay.

Cuando desapareció aquel Land Rover, apareció otro que paró delante de ellos, y Vicente salió de él de un salto.

—¡Satya! ¡Estás aquí!

Vicente miró a su hija y a Clay, obviamente sorprendido de verlos sentados a lomos de *Ariella*. Pero lo único que dijo fue:

—¡Me alegro de que no estés sola! ¿Podéis salir de aquí volando en esa cosa?

—El nombre de esta cosa es *Ariella*. Sí, sí que podemos.

—Bien. Nos vemos dentro de media hora en la pista de aterrizaje.

—Pero ¿cómo vas a llegar allí? —preguntó su hija, nerviosa.

—En el coche. Tengo que ayudar a salir de aquí a otros empleados. —Apuntó hacia atrás con el pulgar; el Land Rover estaba completamente lleno. Le lanzó un beso a su hija, volvió a subir al coche de otro salto y se marchó.

—¿Te parece bien si esperamos todavía un rato antes de salir? —le preguntó Clay a Satya—. Quiero asegurarme de que esta cosa se acaba.

Ella asintió con la cabeza, y los dos se deslizaron hasta tierra.

Una caravana grande y reluciente, de las que usan las estrellas en los rodajes, estaba aparcada en frente del desmantelado castillo. OFICINA DE CONSTRUCCIÓN, decía un letrero en la puerta.

Mientras más dragones volaban por encima de sus cabezas, mandando de vez en cuando alguna bola de fuego al patio, la puerta de la caravana se abrió de golpe y salieron por ella varias personas, algunas aterrorizadas, otras solo molestas. La última en sumarse al alboroto fue la señora Mauvais, acompañada por Amber y Gyorg. Justo cuando ellas habían salido de la caravana, otro dragón pasó por encima del patio, y un segundo después la caravana empezó a arder.

Amber se agarró las manos sobre la cabeza, casi derribando a la señora Mauvais en su prisa por escapar del fuego.

—¡Patosa! —la reprendió la señora Mauvais—. Asustada por un poquito de calor.

Cuando la señora Mauvais recuperó el equilibrio, vio a Clay de pie delante de ella. Detrás de él estaba Satya, junto a *Ariella*.

—¡Ah, eres tú! —dijo la señora Mauvais, sin mostrar ninguna reacción. (Charles podía ser *blasé*, pero ella era un bloque de hielo)—. Bienvenido... de vuelta.

—¡Me estaba oliendo quién era! —dijo Amber muy excitada—. Es el hermano de Max-Ernest. El hombre que lo trajo aquí no era su padre, ¡sino un espía!

—Qué pena que tu descubrimiento no tuviera lugar uno o dos días antes —dijo la señora Mauvais en un tono notable precisamente por su falta de pesadumbre. Observó a Clay como si fuera un espécimen de museo—. Pero ahora que lo mencionas, veo cierto parecido. Por supuesto, Max-Ernest fue siempre mucho más...

—¿Qué? ¿Mucho más inteligente que yo? —dijo Clay, con un leve dejo de amargura.

—Mucho más bajo, era lo que estaba a punto de decir.

—Pero eso no le impidió derrotarla a usted, ¿verdad? Con la ayuda de Cass —dijo Clay a la defensiva—. Y la están volviendo a derrotar. La estamos volviendo a derrotar.

La señora Mauvais le dirigió una sonrisa burlona.

—¡Ah!, ¿de verdad?

Gyorg se había acercado a ella y se había puesto a su lado todo rígido, como dispuesto a protegerla si resultaba necesario.

—Sí —dijo Clay, sin querer asustarse él mismo. Al fin y al cabo, tenía a *Ariella* a su lado—. Estoy aquí para decirle que todo ha terminado: usted, este lugar y sus dragones.

—Eso lo dice el niño de... ¿cuántos años?, ¿doce? —bufó la señora Mauvais—. Nadie me dice a mí que he terminado. Yo diré cuándo he terminado; y cuando lo haga, tú no serás más que un remoto recuerdo.

Un gruñido sostenido interrumpió la escena.

Clay se volvió para ver acercarse a un enorme dragón. El más grande de todos: *El Viejo*. El dragón se posó junto a *Ariella*, ocupando la mitad del patio.

Sobre *El Viejo* iba un hombre joven, que se rio al ver que Clay se quedaba mirándolo.

—¿Quién es? —susurró Satya.

—Se llama Sílex —dijo Clay por entre sus dientes apretados.

Sílex le sonrió con petulancia:

—¿Sorprendido?

Clay negó con la cabeza.

¿Sílex a lomos de un dragón? Lo cierto es que nada podría haberlo sorprendido más. Sorprendido y enfurecido.

—¿Cómo lo has hecho? —preguntó Clay, haciendo esfuerzos por no estallar.

—El *Occulta Draco*..., ¿cómo si no? —dijo Sílex—. Nunca deberías haberlo soltado de las manos.

—¿Has usado un hechizo?

—Hice un trato —dijo Sílex.

Clay comprendió inmediatamente. Era justo lo que había hecho con la *Matadragones*. *El Viejo* odiaría la sola idea de que hubiera un libro capaz de enseñar a los humanos a controlar a los dragones. Mucho mejor arrancar el libro de las manos humanas, aunque eso significara tener que darle una vuelta a Sílex.

Tras él, se oyó un ruido sordo que procedía del interior del pecho de *Ariella*. *El Viejo* respondió con un ruido semejante. Clay no estaba seguro, pero le pareció que *El Viejo* decía algo como «Contente y no eches fuego».

La señora Mauvais se acercó un poco a Sílex, aplaudiendo.

—Bravo, querido —dijo ella con su voz más seductora—. Yo, por lo pronto, estoy muy impresionada. Y muy contenta de volver a verte.

Sílex se puso más derecho y frunció el ceño:

—¿Lo está?

—¿Por qué no? Las cosas han cambiado. —La señora Mauvais levantó los brazos al cielo—: Como ves, ahora tenemos un verdadero ejército de dragones.

—No son de ustedes.

—Con tu ayuda podrían serlo... —Miró al joven a los ojos y aguantó la mirada. Hasta que, con esfuerzo, él la apartó.

Clay miró a los dragones. Sabía que se sentirían insultados ante la sola idea de que pudieran quedar reducidos a un ejército bajo control humano, pero no mostraban ninguna reacción. De momento.

—Ustedes solo quieren ir al Otro Sitio para ser inmortales —dijo Sílex.

—Sí, pero con el control de los dragones, podríamos lograr muchas más cosas —dijo la señora Mauvais—. Eso solo sería el comienzo.

Sílex miró a su alrededor como sopesando las posibilidades:

—¿Qué quiere?

—¿Para empezar? Que me saques de aquí.

—¿Y yo qué? —protestó Amber.

—¿Tú...? —dijo la señora Mauvais, como si no la hubiera visto hasta ese momento—. Quédate aquí y aguarda mi regreso. Si sucede algo, haz lo contrario de lo que te diga tu instinto. Estoy segura de que será lo más prudente. Gyorg te ayudará.

Allí a su lado, Gyorg tosió pero no dijo nada. Ni él ni Amber estaban muy contentos con aquel plan.

—Tú y yo seremos un equipo —dijo la señora Mauvais, volviéndose a Sílex—. Lo único que necesitamos es un dragón para empezar. Si luego hay otros, fantástico. Si no, hacemos más. Una gota de sangre es todo cuanto se necesita.

Clay observó para ver qué hacía Sílex y qué haría *El Viejo* en respuesta. ¿A qué estaba jugando aquel viejo astuto? ¿Es que andaba detrás de algo que tenía el Sol de Medianoche? Si *El Viejo* se olvidaba del trato con Clay, todos los demás dragones lo seguirían probablemente, y Clay no podría hacer nada. Una gota de sudor le cayó de la frente a la nariz.

—¿De verdad? ¿Solo una gota de sangre? —dijo Sílex al final, con una febril emoción evidente en el rostro—. Y con eso podríamos... ¡Aaah!

Sílex cayó del lomo de *El Viejo* cuando este soltó un bramido que hizo temblar la tierra.

¿Te atreves a hablar de sangre de dragón?, preguntó *El Viejo*, furioso. *Te prometí traerte aquí, pero no dije nada de llevarte de regreso. Esto se ha acabado.*

Como un enorme barco vikingo desplegando las velas, el dragón abrió sus alas con un chirrido, y se lanzó al aire, mientras Sílex lo observaba horrorizado.

La sonrisa satisfecha de Clay solo duró un segundo. Junto a él, *Ariella* gruñó, lista para pelear.

Otro dragón acababa de entrar en el patio. El dragón que nadie tenía ganas de ver: *Barbazul.*

Clay sintió que Satya se ponía tensa. ¿Aquel monstruo de un solo ojo seguiría siendo el mismo?

Posándose en la fuente, *Barbazul* se colocó encima de los desplomados dragones de bronce como si acabara de matarlos él mismo, y los estuviera defendiendo de los depredadores.

Mientras el dragón volvía la cabeza hacia delante y hacia atrás, su ojo bueno vio a Satya y a *Hermes*, y parpadeó. ¿O era un guiño? *Ya me encargaré después de vosotros*, parecía decir *Barbazul.*

—Espera a ver qué hace *Barbazul* —le susurró Clay a *Ariella*, sabiendo que este todavía no se había recuperado completamente de su primer encuentro con *Barbazul.* Había que evitar un segundo combate, si era posible. Y *Ariella*, Clay lo notaba, pensaba lo mismo.

Pero *Barbazul* no parecía interesado en ellos. Por el contrario, el dragón se fijó en la señora Mauvais, la mujer que, más que ninguna otra persona, era responsable de aquel lugar y del cautiverio de los dragones. Ella, según parecía, era la razón de la visita de *Barbazul*. El dragón se colocó a cuatro patas y avanzó hacia ella.

La señora Mauvais conservó su expresión de perfecta calma mientras *Barbazul* la hacía retroceder hacia la caravana.

—Gyorg, Sílex..., que alguien haga algo —dijo con una levísima insinuación de urgencia.

Solo cuando el dragón estaba a punto de apoderarse de ella, con la enorme boca abierta, la señora Mauvais perdió la compostura. Lanzó un grito y empujó a Gyorg para ponerlo delante del dragón.

Gyorg no tuvo tiempo de apreciar la traición de su jefa antes de que las afiladas mandíbulas de *Barbazul* lo agarraran por el medio y lo apartaran a un lado.

Como si no hubiera ocurrido nada, *Barbazul* volvió a acercarse a la señora Mauvais, con su único ojo brillándole.

—¡Detente, dragón!

Era Sílex, que intervenía en el último segundo, tal vez para salvar a la señora Mauvais o tal vez para presumir de algo. Clay no estaba seguro.

Con los ojos fijos en *Barbazul*, Sílex se tocó el puño con los labios. De pronto, el puño empezó a arder. Elevándolo en el aire como una antorcha, lo movió hacia un lado y otro delante del ojo bueno de *Barbazul*.

—¡Agáchate! —dijo Sílex, como si le estuviera hablando a un perro.

Entonces, impresionando a Clay y tal vez a todos los demás presentes, humanos o dragones, *Barbazul* se arrodilló. No lo hizo para mostrar cortesía o respeto, como había hecho *Ariella*, sino en prueba de sumisión, como se arrodilla una criatura débil delante de otra más fuerte.

—¡Muy bien, eres buen chico! —dijo Sílex, sonriendo triunfante.

Clay notó la rabia que desprendía *Ariella*: le resultaba insoportable ver a un dragón humillado de aquella manera por un humano.

No importa, dijo *Ariella* con lástima. *Ese dragón es un perdido*.

Cuando el degradado dragón se había casi tumbado completamente en el suelo, Sílex dirigió a las personas que estaban mirando, muy chulito, un gesto con la mano, y a continuación se subió a lomos de *Barbazul*.

—¡Adiós, idiotas!

Sílex apretó los pies contra los costados del dragón. *Barbazul* se hizo un poco hacia atrás, y después se volvió contra la caravana, y le dirigió un último chorro de fuego.

Entonces, con Sílex montado a horcajadas sobre él, *Barbazul* se levantó y se internó volando en el cielo nocturno.

—Adiós y buen viaje —dijo Satya.

Clay se quedó mirando un rato, anonadado. Creía conocer lo que acababa de presenciar: una especie de magia negra que estaba descrita en el *Occulta Draco*, la magia de los tragafuegos. Fuera donde fuera, no sería tan lejos como Clay hubiera querido.

En el lugar de *Barbazul*, otros dragones empezaron a arremolinarse en torno a los restos calcinados de la caravana. Clay vio cómo los contemplaba la señora Mauvais, con algo, en su rostro pétreo, que casi parecía miedo.

—¿Quiere venir con nosotros en vez de quedarse aquí atrapada con estos animalitos? —le preguntó Clay—. Tendríamos que atarla, claro. Y si intentara hacerle daño a alguien, *Ariella* seguramente la mataría...

—¿Y ser prisionera de la Sociedad Oterces? —preguntó la jefa del Sol de Medianoche, con toda la altivez de que podía hacer gala—. Preferiría morir.

Clay miró a la masa cada vez más espesa de dragones que daba vueltas justo encima de ellos.

—De acuerdo, si eso es lo que quiere.

Se volvió hacia Satya:

—Salgamos de aquí.

Usando la pata de *Ariella* como escalera, subieron al lomo del dragón.

Un momento después, se elevaban hacia el cielo de la noche. Era como nadar contra corriente. A su alrededor, docenas de dragones descendían hacia una misma meta.

Mirando por encima del hombro por última vez, Clay vio un par de manos enguantadas (sin lugar a dudas las de la señora Mauvais) que se agitaban en el aire. Hubo un grito de dolor que sonaba extrañamente como un grito de alegría. Entonces las manos desaparecieron, y ella se perdió en el torbellino de dragones rugientes y chillones que se abalanzaban sobre ella.

Capítulo 26

La otra cara de la moneda

Una vez vencido el miedo que les había producido el ataque, los dragoncitos más pequeños dejaron el lomo de *Ariella* y fueron volando detrás, con Houdini y Bodhi.

A diferencia de Satya, *Ariella* sí consiguió que los dragoncitos permanecieran en una sola fila, aunque no se trataba exactamente de una fila recta, eso hay que admitirlo.

No, no tenían ningún aspecto de patitos (ni siquiera de patitos feos). Y pocas personas hubieran sido capaces de decir que eran monos o que dieran ganas de comérselos. Sin embargo, la gente que los veía no podía dejar de sonreír.

Con los dragoncitos a la zaga, Clay guio a *Ariella* para salir del cráter, hasta la pista de aterrizaje que había justo al otro lado del borde del cráter. Descendieron hasta la pista de asfalto, justo delante del segundo helicóptero del Sol de Medianoche, y aparcaron junto a una fila de avionetas.

Detrás de *Ariella*, oscuras siluetas brotaban del cráter, elevándose hacia el cielo estrellado: los dragones se iban.

—Creo que los dragones se alegran de salir de ahí casi tanto como yo —dijo Clay contemplándolos—. ¿Tú no te alegras también?

Satya lo miró con sus ojos oscuros insinuando una sonrisa:

—Hay cosas que echaré de menos.

Clay notó que se ponía colorado.

—Bueno —dijo bajando la mirada hacia las escamas del dragón que estaba bajo ellos—. Con respecto a ese beso... No sé si te gustaría volver a intentarlo... aunque ya no vayamos a morir.

Buen ataque, dijo Brett.

Sí, eso se llama estilo, dijo Leira.

A Clay las orejas le ardían de puro coloradas. Satya se rio:

—Desde luego —dijo—. Pero esta vez sin chicle. Y ¿no quieres quitarte el casco?

Rápidamente, Clay se quitó el casco.

—Y tal vez también ese gorro de lana, ya que estás.

¡Espera, no, no nos estropees la diversión!

Clay se quitó el gorro con muchas ganas. Tenía el pelo más alborotado que nunca.

Satya lo miró en plan crítico:

—Eso está mejor. Aunque me gustaría saber qué aspecto tienes cuando estás peinado.

—¿Quieres saberlo? Tengo exactamente el mismo aspecto.

—Bueno, entonces supongo que no hay motivo para esperar más, ¿verdad?

Cerró los ojos, y Clay se acercó. Ahora que él no estaba mascando chicle, pudo apreciar lo suaves que eran sus labios y lo bien que olía.

Al cabo de un momento, *Hermes* empezó a chillar y a arañar.

Satya se hizo para atrás, sonriendo:

—Qué lata de pájaro —se quejó.

Clay sentía como que flotaba.

Solo que aún podía oír el sonido de Brett y de Leira riéndose y lanzando vítores desde el gorro que tenía apretujado en la mano.

Ariella hizo un ruido que se parecía mucho a una tos humana.

¿No es hora ya de que os bajéis?

A cierta distancia, pero no muy lejos, un Land Rover se dirigía a ellos, procedente del cráter, levantando una estela de polvo y arena. El vehículo estaba lleno de empleados, o de antiguos empleados, de la Torre de Homenaje. Parecían refugiados.

Vicente hizo un gesto con la mano desde la ventanilla del coche. Satya le devolvió el saludo.

—¿Yo también me tengo que bajar? —le preguntó Clay a *Ariella*—. ¿No me vas a llevar a casa?

Eso no era parte del trato. Además, tengo que llevar a estas criaturas. *Ariella* indicó con un gesto de la cabeza a los dragoncitos que retozaban en el asfalto.

—Quieres decir que te las llevas al Otro Sitio...

Por supuesto, lo había sabido todo el tiempo, pero no lo había asimilado hasta aquel momento: al acceder a que los dragones cerraran el paso al Otro Sitio para siempre, les estaba diciendo adiós a todos ellos. Incluido *Ariella*.

—Supongo que podrías venir con nosotros —dijo Satya mientras se bajaban del dragón—. Aunque creo que vamos a ir muy apretados.

Al tiempo que el Land Rover aparcaba a su lado, llegó un sonido de lo alto. Se cubrieron los ojos con la mano para aguzar la vista mirando al cielo nocturno.

Se acercaba algo con unas luces cegadoras, volando en dirección opuesta a todos los dragones.

—Ese no es el hidroavión de tu padre, ¿verdad? —preguntó Vicente, saltando del Land Rover.

Sin querer concebir esperanzas, Clay miró al avión, que se paró sobre el asfalto a cincuenta metros de distancia.

—No recuerdo que tuviera unas ruedas tan grandes —dijo Vicente.

Aunque, como sabéis, su dueño no era en realidad el padre de Clay, sí que se trataba del hidroavión. Pero había en él algo diferente. Donde antes tenía aquellos esquíes, para mantenerlo a flote en el agua, había ahora cuatro ruedas de tamaño casi absurdo, que parecían como procedentes de un tractor.

—Bueno, ahora que tu avión está aquí para llevarte de vuelta, nosotros seguiremos nuestro camino. Os doy a vosotros dos un minuto para que os digáis adiós.

Vicente le estrechó la mano a Clay y se fue hacia el Land Rover.

—¿Adónde vais a ir?

—A otro parque zoológico, supongo —dijo Satya—. Pero, ya sabes, uno que tenga animales.

—Sí, me imagino que eso estaría bien —dijo Clay.

Le dio a Clay un rápido abrazo, y se fue con *Hermes* a reunirse con su padre.

Clay las vio irse. Y después se dirigió hacia aquel hidroavión tan extrañamente reparado.

Owen lo recibió con un abrazo:

—Supongo que el hecho de que estás vivo quiere decir que lo has conseguido...

—En buena medida —dijo Clay, pensando en Sílex y otros cabos sueltos.

—«En buena medida» muchas veces es lo máximo a lo que se puede aspirar.

Clay asintió al oírlo, reconociendo que tenía razón:

—Has conseguido sacar el hidroavión de la grava.

—En buena medida... —Sonrió, indicando con un gesto las grandes ruedas que habían reemplazado los esquíes del hidroavión—. Y esa no es la única sorpresa.

«Creo que ya he tenido bastantes sorpresas», pensó Clay.

—¿Qué más sorpresas hay? —preguntó con miedo.

Clay lo oyó antes de verlo, estornudando y refunfuñando para sí al salir del avión:

—Son todos esos dragones... ¡Debo de ser alérgico! ¿Se podrá ser alérgico a los dragones? Por cierto, ¿cuál es el nombre colectivo para los dragones? No son un rebaño, desde luego. Tal vez una manada...

—¿Max-Ernest?

Max-Ernest sonrió tímidamente ante su hermano pequeño:

—Reconozco mi culpa.

◆ ◆ ◆

Mientras seguían a Owen al interior del avión, Clay pensaba en lo enfadado que había estado con Max-Ernest. Por abandonarlo durante tantos años, y después evitarlo y no hablarle cuando por fin se juntaron. Por ser tan sobreprotector un instante, y al instante siguiente enviar a Clay a una misión demencial en plena guarida del Sol de Medianoche. ¡Por tantas cosas...!

Pero estaba demasiado cansado para enfrentarse a su hermano. Además, ya tendría tiempo después para cantarle las cuarenta, y Max-Ernest tendría que sonreír y soportarlo: se pasarían horas encerrados en el avión los dos juntos.

—Siento que me haya costado tanto tiempo llegar hasta ti —le dijo su hermano cuando estuvieron sentados: Max-Ernest en el asiento del copiloto, y Clay agachado detrás—. En cuanto me enteré de que te habías quedado aquí tú solo (me refiero a la primera vez que viniste), empecé a buscar la manera de ir al Rancho de la Tierra. Lo que pasa es que es muy difícil encontrar ningún barco que se acerque siquiera a la Isla de Price. Así que tuve que ir en la bodega de un pesquero japonés. Y después ir remando ocho kilómetros...

—¿Remaste ocho kilómetros...? —preguntó Clay sin podérselo creer.

—Bueno, los pescadores lo hicieron —admitió Max-Ernest.

Clay arrugó la nariz:

—¿Y no te has dado una ducha después? Porque hueles a sudor...

—A sudor no: a duros. Los pescadores eran tipos duros. Eso es un...

—Anagrama —concluyó Clay—, ya me acuerdo.

Max-Ernest sonrió:

—Bueno, al menos te he enseñado algo.

Clay se rio:

—Esto... he conocido a Pietro —dijo al cabo de un rato.

Max-Ernest lo miró desconcertado:

—¿A Pietro...? Pero, si él es...

—Ajá... Está en el Otro Sitio. Me dijo que te había dejado algo en el forro del sombrero. Cuando vuelvas a casa, deberías mirar.

Max-Ernest observó a Clay, tratando de averiguar si su hermano pequeño le estaba tomando el pelo.

—En realidad, el sombrero está justo aquí —dijo Max-Ernest—. Nunca viajo sin él, ¿recuerdas? —Descorrió la cremallera de una vieja y maltratada maleta de cuero que parecía el maletín de un médico de los de antes, y sacó lo que parecía un plato negro. Le dio una sacudida, y el plato se convirtió en un sombrero de copa—. ¿Qué te parece?

—Guay —dijo Clay con la boca abierta—. Ya no me acordaba de que el sombrero hacía eso.

—Ahora, veamos lo que tenemos aquí. —Max-Ernest posó el sombrero en su regazo y empezó a palpar—. Parece un poco raro que no haya visto antes algo que Pietro dejara en el sombrero hace doce años, pero uno nunca sabe.

Había varios bolsillos escondidos en el sombrero, y Max-Ernest empezó a sacar una cosa tras otra: tres naipes (un as, un rey y un comodín); media docena de «sedas» mágicas (es decir, de pañuelos), numerosos envoltorios de barritas de chocolate (Clay vio chistes garabateados en alguno de ellos, así como una lista de trucos), unas hojas mustias de zanahoria (que había dejado allí *Quiche*, el conejo, sin duda) y algo que sin duda eran unos calzoncillos (siempre está bien tener para cambiarse, ¿no?). Del fondo del sombrero, Max-Ernest sacó un puñado de monedas, que estaba a punto de guardarse cuando se detuvo y miró una de ellas a la luz.

Se la pasó por los dedos, frunciendo el ceño.

—¿Podría ser esto lo que decía Pietro? Estoy seguro de que no es mía...

—¿Qué es? —preguntó Clay.

—Una moneda trucada. Los dos lados son cruz. ¿Lo ves? —Max-Ernest se la entregó a Clay—. Pero ¿por qué me ha dejado esto? Se pueden conseguir en cualquier tienda de magia del país. No valen nada.

Clay intentó devolverle la moneda, pero Max-Ernest no la quería coger. Estaba claramente decepcionado.

—Ya sabes, Pietro era para mí como un segundo padre —dijo moviendo la cabeza hacia los lados en señal de negación—. Pero un día, ¡puf!, se fue. Lo único que dejó fue una nota en la que decía que se iba al Otro Sitio, y no lo volví a ver nunca.

«Sí, es horrible cuando alguien se marcha así», pensó Clay, pero sin su rabia habitual.

—¿Y ahora me da esta vieja moneda trucada? —se quejó Max-Ernest. ¿Se supone que me voy a sentir mejor con ella? ¿Que lo voy a recordar con más cariño?

—¿No podría ser un amuleto para él? —sugirió Clay.

—Quién sabe... —Max-Ernest se sacudió el malhumor con un gesto, y sonrió—: Bueno, quédatelo. Si te da buena suerte, me pondré muy contento.

—Vale, eh... gracias —dijo Clay guardándose la moneda.

—Sabes el verdadero motivo por el que te he estado evitando, ¿no? —dijo Max-Ernest de repente.

—Eh... no realmente —dijo Clay, sorprendido por el repentino giro de la conversación.

—Porque me siento culpable de haberte abandonado.

Clay elevó las cejas:

—O sea que básicamente me estás diciendo que me abandonaste porque me abandonaste.

—No tiene mucho sentido, lo sé. —Max-Ernest soltó un sonido que era como media carcajada, un sonido típico de él—. No lo volveré a hacer.

—Bien... La verdad es que no tenías por qué cuidar de mí cuando yo era niño, pero lo hiciste —añadió Clay al cabo de un momento—. Así que una cosa por la otra.

—Claro que tenía que hacerlo —protestó Max-Ernest—. ¡Eres mi hermano!

Clay se encogió de hombros, sonriendo.

—De acuerdo, bien. Tenías que hacerlo. Entonces eso quiere decir que todavía tienes que hacerlo.

Owen, que había guardado silencio mientras hablaban los dos hermanos, señaló la ventanilla:

—Mirad...

Clay miró por el cristal y vio una bandada de pájaros que volaban en perfecta formación, en dirección contraria, hacia el cráter.

◆ ◆ ◆

El Rancho de la Tierra podía ser un campamento mágico, pero no muy a menudo se hacía magia en la Gran Yurta. Y menos magia escénica.

Cuando uno puede leer de verdad la mente de otras personas, ver a alguien que extrae tu carta de un mazo de naipes no resulta demasiado impresionante. Cuando uno puede hacer levitar a alguien mediante un embrujo, levitar a alguien con cuerdas parece un poco tonto. En cuanto a la moneda que tenía dos cruces apenas contaba como truco de magia.

Sin embargo, los chicos y chicas del campamento se quedaron encantados con el espectáculo de Clay y de Max-Ernest. Se rieron un montón, por lo menos. Por momentos se rieron de los dos hermanos, por momentos con ellos, y a veces ambas cosas a la vez.

Para Max-Ernest, la actuación fue agridulce, y le recordaba los espectáculos que había hecho con Clay cuando este tenía cinco o seis años, y Max-Ernest no era mucho mayor de lo que Clay era ahora. Pero, además, le recordaba a Pietro y sus propios espectáculos infantiles con su hermano, Luciano, cuya historia había contribuido a inspirar la propia carrera mágica de Max-Ernest.

Para Clay también resultó agridulce. Por supuesto, había sido divertido, pero tenía la sensación de que era la última vez que actuaría en un escenario. Los escenarios eran asunto de su hermano, no de él. Si había magia en el futuro de Clay, no sería de la que uno realiza para el público.

Después, Clay se llevó a *Cómose* a dar un paseo hasta la Peña de la Nariz. Con *Cómose* Clay se sentó en la roca, mirando la puesta de sol de la misma manera que tantas mañanas había contemplado el amanecer. Y entonces, como antes, la llama, siempre tan despierta, le dio con el hocico: a lo lejos, en medio de una nube rosa, había una mota diminuta. Clay, aunque a duras penas, pudo distinguir la forma de las alas, y por un segundo pensó que sería *Ariella*. Pero, por supuesto, no era *Ariella*: era Owen. Owen había dejado a Clay y a Max-Ernest en el campamento hacía más de una semana, y después se había marchado para traer provisiones. Ahora había llegado el momento de llevarse a Cass y a Max-Ernest de allí para siempre.

Mientras veía el avión hacerse más y más grande, Clay lanzaba la moneda de Pietro al aire una y otra vez, dejando que cayera en su palma abierta.

Cruz.

Cruz.

Cruz.

Siempre igual.

De repente, cerró el puño en torno a la moneda.

—¡Eso es! —exclamó—. ¡No hay otro lado!

La llama lo miró como sin comprender. Clay negó con la cabeza.

—No importa, es una cosa de humanos. —Pero en realidad él estaba muy emocionado.

Había desentrañado el mensaje de Pietro: estaba seguro.

A veces, intentar llegar al Otro Sitio lo llevaría a uno a ninguna parte; a veces, había que apostar por el lado en el que uno se encontraba.

Clay se levantó de la roca de un salto. Se moría de ganas de contarle su descubrimiento a Max-Ernest.

Seguido por el trote de la irritada llama, Clay bajó la colina corriendo, después saltó sobre su recién reparado trineo hecho con una tapa de cubo de basura. Lo más rápido que podía, se deslizó cuesta abajo por la ladera de piedrecitas. Pero frenó un poco cuando se acercó al pie de la colina, para disfrutar del final del descenso.

No había necesidad de apresurarse, se dijo. Max-Ernest nunca volvería a marcharse sin despedirse.

APÉNDICES

La entomofagia: comer insectos

Los insectos pueden ser una gran fuente de proteínas en caso de apuro, digamos. Para conseguir una cantidad significativa de nutrientes a partir de estos bichos, sin embargo, es importante comer más de uno. Muchos más de uno. Los datos nutricionales que figuran a continuación se refieren a una ración de 100 gramos. Dado que las hormigas pueden pesar tan poco como un miligramo, una ración como es debido debería contener unas 100 000. Por supuesto, si las bañas con una capa de chocolate, como hace mucha gente en algunas partes del mundo, no necesitas comer tantas ni mucho menos, y supongo que estarás de acuerdo conmigo en que están mucho más ricas.

HORMIGAS
(hormiga colorada)

DATOS NUTRICIONALES	
Porción de 100 gramos	
Cantidad por porción	
% de las necesidades diarias*	
Grasa 3,5 g	5 %
Carbohidratos 2,9	0,01 %
Proteínas 13,9 g	28 %
* El porcentaje de las necesidades diarias se basa en una dieta de 2000 calorías. Tus necesidades diarias pueden ser mayores o menores dependiendo de tu necesidad de calorías.	
Hierro 5,7 g	
Calcio 47,8 mg	

ESCARABAJOS (chinche acuática gigante)*

DATOS NUTRICIONALES	
Porción de 100 gramos	
Cantidad por porción	
% de las necesidades diarias*	
Grasa 8,3 g	13 %
Carbohidratos 2,1	0,01 %
Proteínas 19,8 g	40 %
* El porcentaje de las necesidades diarias se basa en una dieta de 2000 calorías. Tus necesidades diarias pueden ser mayores o menores dependiendo de tu necesidad de calorías.	
Hierro 13,6 g	
Calcio 43,5 mg	

* Podemos extrapolar valores nutricionales semejantes para los escarabajos del desierto del Namib.

TARÁNTULA
(grande)*

DATOS NUTRICIONALES	
Porción de 100 gramos	
Cantidad por porción	
% de las necesidades diarias*	
Grasa 10 g	15 %
Carbohidratos 2 g	0,01 %
Proteínas 63 g	126 %
* El porcentaje de las necesidades diarias se basa en una dieta de 2000 calorías. Tus necesidades diarias pueden ser mayores o menores dependiendo de tu necesidad de calorías.	

* Técnicamente, las tarántulas no son insectos, sino arácnidos. Sin embargo, tienen fama de estar riquísimas.

Malas palabras

Cuando Clay era niño, él y su hermano solían llamar a las palabras mágicas «malas palabras». Para eliminar cualquier posible confusión, voy a ofrecer una lista de malas palabras auténticas. Para usar con moderación. Si quieres información sobre palabras mágicas auténticas, tendrás que consultarle a otro.

XXXXX

XXXXXXX

XXXXXX

XXXXX

XXXXXXXX

FECHA DE ENTREGA

XXXXX

EDITOR

XXXXXX

VACÍO (cuando se refiere a la caja de bombones, o al envoltorio del chocolate)

XXXXX

XXXXXXXX

XXXXX

GUANTE (se supone que de color blanco)

XXXXX

SOL DE MEDIANOCHE

SEÑORA MAUVAIS

XXXXXXXX

XXXXX

TÍTULOS Y ACCIONES

XXXXX

XXXXXXX

EL SONIDO QUE HACE *QUICHE* CUANDO SE LE ACABAN LAS ZANAHORIAS

EL SONIDO AÚN PEOR QUE HACE P. B. CUANDO SE LE ACABA EL CHOCOLATE

XXXXX

VAINILLA

TRABAJO

XXXXXX

&^@!#%#$!*

---

* Maldición de los dragones impronunciable pero inconfundible.

Dragones del mundo: un truco mágico

Como sabéis, la mayoría de los dragones abandonaron nuestro planeta hace mucho tiempo. Pero yo, Pseudonymous Bosch, en ocasiones conocido como el Gran Boschini, he implantado secretamente un dragón en tu cerebro, y lo he escondido entre los nombres de dragones de todo el mundo.*

Para encontrar ese dragón escondido, sigue cuidadosamente estas instrucciones:

Primero, elige un número de dos cifras.

Suma las dos cifras una a otra.

Después, réstale esta suma a tu número original.

(En otras palabras, si tu número original era 24, tienes que sumar 2 + 4, que te da 6, y después le restas 6 al número original, 24, lo cual te da 18).

Por último, toma ese número que te ha salido y encuentra con él al dragón que te corresponde.

---

* Estos dragones incluyen a Dreq (dragón albano), Ryu (dragón japonés asociado con el agua y que concede deseos), Neak (dragón jemer con características de cobra), Imoogi (dragón coreano del océano), Gyo (dragón coreano de la montaña), Lindworm (dragón serpenteante escandinavo), Wyvern (un dragón de dos patas muy frecuente en la heráldica medieval), Zilant (el dragón legendario que simbolizaba el poder de los tártaros de Kazán) y Slibinas (dragón lituano con cabeza de hidra, es decir, con muchas cabezas).

0. Dreq	1. Ryū	2. Neak	3. Dreq	4. Imoogi
5. Gyo	6. Neak	7. Lindworm	8. Neak	9. Ariella
10. Lindworm	11. Wyvern	12. Imoogi	13. Zilant	14. Imoogi
15. Slibinas	16. Wyvern	17. Ryū	18. Ariella	19. Dreq
20. Wyvern	21. Zilant	22. Gyo	23. Ryū	24. Wyvern
25. Dreq	26. Lindworm	27. Ariella	28. Wyvern	29. Zilant
30. Slibinas	31. Neak	32. Wyvern	33. Ryū	34. Zilant
35. Imoogi	36. Ariella	37. Lindworm	38. Imoogi	39. Wyvern
40. Ryū	41. Zilant	42. Dreq	43. Slibinas	44. Ryū
45. Ariella	46. Imoogi	47. Ryū	48. Lindworm	49. Dreq
50. Zilant	51. Ryū	52. Gyo	53. Slibinas	54. Ariella
55. Slibinas	56. Ryū	57. Lindworm	58. Gyo	59. Neak
60. Ryū	61. Neak	62. Dreq	63. Ariella	64. Lindworm
65. Ryū	66. Imoogi	67. Ryū	68. Wyvern	69. Gyo
70. Slibinas	71. Ryū	72. Ariella	73. Dreq	74. Zilant
75. Ryū	76. Zilant	77. Wyvern	78. Ryū	79. Wyvern
80. Dreq	81. Ariella	82. Wyvern	83. Gyo	84. Dreq
85. Neak	86. Zilant	87. Lindworm	88. Wyvern	89. Lindworm
90. Ariella	91. Imoogi	92. Ryū	93. Zilant	94. Dreq
95. Slibinas	96. Dreq	97. Zilant	98. Neak	99. Zilant

Ahora pasa la página para ver el dragón oculto.

¡Tacháááán...! El dragón que has encontrado es:

ARIELLA

¿Te estás preguntando cómo puedo controlar tu mente desde mi escondite secreto? Un buen mago nunca revela sus trucos. Pero yo no soy un buen mago, así que te daré esta pista: vuelve la página hacia atrás, y sigue por segunda vez las instrucciones, eligiendo otro número distinto, y verás el resultado que obtienes.

O, mejor aún: retrocede hasta el comienzo del libro.

AGRADECIMIENTOS

Una de las ~~mejores~~ peores cosas de escribir de manera anónima, pseudónima y subrepticia, como hago yo, es que ~~logro~~ tengo que fingir que escribo mis libros enteramente por mí mismo. Por mucho que me gustaría recibir la gloria que me merezco, es para mí mucho más seguro seguir escondido. Cualquier nombre que pudiera mencionar sería otro medio de que mis enemigos trataran de encontrarme.

Sin embargo, después de nueve libros, es tiempo quizá de decir una palabra o dos en honor de aquellos que me han apoyado en la senda de la grandeza literaria. O por lo menos eso piensa el conejo que está mecanografiando estas palabras para mí. Quién ha estado ahí año tras año, trabajando como un negro a tu lado, me pregunta *Quiche*, siempre dispuesto a echar una mano. O una patita.

Sí, *Quiche*, me da rabia admitirlo, pero tienes razón. Sería una vergüenza no agradecer el duro trabajo y la dedicación de la gente que elabora el chocolate que me mantiene en pie mientras...

Riña—Quiche deja de teclear—Pseudonymous lo reemplaza.

Parece que he ofendido a mi conejo no sé cómo. Está claro que *Quiche* no se refería a que yo debiera dar las gracias a los maestros chocolateros del mundo. ¿Tal vez se referiría a los agricultores que cultivan zanahorias? ¿Qué dices, *Quiche*, que debería acordarme de una cosa suave y esponjosa que vive dentro de un sombrero de copa? ¡Mmm...! ¿Quieres decir que mi sombrero tiene moho? Voy a tener que limpiarlo...

Aparte de los maestros chocolateros, supongo que hay otras personas a las que debería dar las gracias. Es verdad que preferiría no revelar sus nombres, pero tal vez pueda ponerlos al final de la página. En letra muy pequeñita.

Me parece que quedará bien si termino este libro con una nota a pie de página.*

---

* Advertencia: esta nota será muy larga. Tengo diez años de agradecimientos que hacer constar aquí. Si eso os da miedo, o si resulta que pertenecéis a cierta siniestra sociedad secreta cuyas iniciales son SM, por favor, piraros.

El pseudónimo «Pseudonymous Bosch» no nació en un libro sino en una serie de cartas que le escribí a una estudiante de cuarto llamada May, como parte de su programa de voluntariado adulto de la escuela, llamado «Compañeros Escritores». En aquel tiempo no tenía ni idea de que mis reflexiones sobre los secretos, el chocolate y los placeres y riesgos de dejar para otro día lo que puedas hacer hoy conducirían a una novela llamada *El título de este libro es secreto*, no digamos ya a la «Serie secreta» o a los «Libros peligrosos». Si alguien tenía un presentimiento, esa era la madre de May, mi amiga Margaret Stohl, que me había obligado, para empezar, a presentarme voluntario en la escuela de su hija. En los años que han pasado desde entonces, Margie siempre ha sido la que me ha hecho avanzar hasta el final cada vez que he tenido que escribir un libro. De ese modo, mis libros se puede decir que comienzan y acaban con ella. A riesgo de romper una regla no escrita... Gracias, Margie: tú eres la mejor amiga que puede tener un escritor neurótico, o quien sea.

Muchos otros amigos generosos han ayudado en ese esfuerzo de empujarme, y en ocasiones tirar de mí, para que escribiera mis libros a lo largo de los años, sosteniéndome, derribándome e incluso leyendo borradores cuando la situación lo requería. Por nombrar solo algunas de estas almas sufrientes, tengo que dar las gracias a: Michael Ravitch, Roxana Tynan, Nicole de Leon, Cara Tapper, Tania Katan, Melissa de la Cruz, Jennifer Lehr, y a la mejor animadora literaria del mundo, Hilary Reyl. Tengo que agradecer a Hilary que me presentara a mi agente, Sarah Burnes, que se hizo cargo de mí cuando Pseudonymous Bosch no era más que una chispita brillante en mi ojo interior. Sarah tiene muy buen gusto (¡evidentemente!), logra ser realista y optimista al mismo tiempo, es dura cuando tiene que serlo y es buena amiga siempre. Gracias, Sarah, por ayudarme a convertir unas cuantas páginas a medio escribir en nueve libros bien rollizos, cada uno de ellos con su propio código de barras.

Cuando llegó el momento de encontrar editorial, Sarah me acompañó a una torre de oficinas donde nos recibió una sala entera de gente de guante blanco. Como podrán imaginar los lectores de mis libros, los guantes me produjeron escalofríos. Me alegra poder informar de que la gente que los llevaba no eran miembros del Sol de Medianoche, sino que eran, por el contrario, los entusiásticos, entregados y muy dotados trabajadores de Little, Brown Books for Young Readers, que habían decidido montar una fiesta sorpresa para nosotros, repleta de vestidos y utilería para una producción (en tamaño circo de las pulgas) de *El título de este libro es secreto*.

Ese fue el día en que conocí a la editora de la «Serie secreta», Jennifer Hunt. Jennifer (que es toda una leyenda entre sus escritores) tiene un infalible instinto editorial y una gran sonrisa. Durante años, sus reacciones me sirvieron de brújula, diciéndome cuándo iba por el buen camino o no. Ella fue también una dura jefa que me obligó a escribir cinco libros en cinco años cuando por mí mismo podría no haber escrito ni dos. Gracias por chasquear el látigo, Jennifer. Ha valido la pena.

Afortunadamente, cuando Jennifer dejó Little, Brown, a mí no me dejaron suelto. La editora jefe Alvina Ling se ha asegurado de que mis libros estén bien cuidados. La encantadora e inteligente Connie Hsu editó el (intencionadamente) inacabado *Write this Book* y el primer libro peligroso, *Mala magia*, ayudándome a dar algún sentido a mi amplia y dispersa manera de contar, una tarea horrendamente difícil en la que contó con la colaboración de Leslie Shumate. En la escritura de los siguientes libros malos, *Mala suerte* y *Malas noticias*, he tenido el placer de trabajar con una editora y ser humano modélico, Lisa Yoskowitz. No se me ocurre mayor cumplido que decir que hago todo lo que ella me dice. Hay muy pocas personas, al menos entre los editores, de quienes pueda decir eso. No sé muy bien cómo lo consigue, a menos que sea porque sabe muy bien cómo y cuándo suavizarme con el perfecto elogio o bocado. Además, es que normalmente tiene razón. Lisa: haces conmigo lo que quieres.

No quiero sugerir que cada uno de mis libros haya sido entregado meses después de la fecha límite que me habían dado, pero si ese fuera el caso, y si mis libros hubieran recorrido, pese a todo, el camino completo hasta las librerías, habría sido gracias a la infinita paciencia y asombrosos juegos malabares del equipo editorial de LBYR: Andy Ball, Jen Graham, Christine Cuccio Radlmann y Amanda Hong. Aquí debo mencionar también a una cierta correctora que es tan generosa con su tiempo como exacta con su pluma. Pseudonymous Bosch puede ser un esnob de la gramática, pero hasta él es proclive a cometer de vez en cuando alguna ocasional cagada errata. Gracias, Barbara Bakowski, y, por favor, recuerda que cualquier error gramatical que pueda cometer tiene que mantenerse en estricto secreto entre ti y mí. Digo, entre tú y yo.

A lo largo de los años, muchos jóvenes lectores me han dicho cuánto les gusta el aspecto físico de mis libros. A mí también. Me siento muy afortunado por haber trabajado con diseñadores de tanto talento como Kirk Benshoff, Gail Doobinin, Maggie Edkins, Karina Granda, Sasha Illingworth, Alison Impey y Tracy Show, sin olvidar al director creativo Dave Caplan. Los lectores también me felicitan a menudo por los dibujos que ven dentro de los libros. «¿Hace usted las ilustraciones?», me preguntan. Yo me encojo un poco de hombros y cambio de tema. La verdad, por mucho que me gustaría llevarme yo el mérito, es que las ilustraciones de la «Serie secreta», y también las de *Mala magia,* son del polivalente Gilbert Ford. Desde el mismo comienzo, me he maravillado de lo bien que la sensibilidad de Gilbert complementa la de P. B. En cierto sentido, hemos colaborado para crear juntos el mundo de la «Serie secreta» y el de *Mala magia*. En los dos últimos libros, las ilustraciones interiores han sido obra (bellísima) de Juan Manuel Moreno. Me resulta emocionante ver adquirir una nueva vida a los personajes de los «Libros peligrosos».

En cuanto a la escritura, la serie secreta ha vendido más de dos millones de ejemplares solo en Estados Unidos, y tanto *Mala magia* como *Mala suerte* han llegado a la lista de los más vendidos del *New York Times,* un récord que difícilmente podrá considerarse ni secreto, ni negativo. De este éxito le echo la culpa completamente al equipo de Melanie Chang en Little, Brown. Si se me permite que haga publicidad de mis publicistas, por favor, un aplauso para Lisa Moraleda y sus colegas Jennifer Corcoran y Jessica Shoffel. Lisa es una de las pocas personas que han trabajado conmigo en todos los libros que he escrito, acompañándome de una costa a la otra y mandándome a librerías, colegios, festivales, y luego de vuelta a casa. Gracias, Lisa, por tus inagotables esfuerzos y por hacer de las giras algo mucho más placentero.

Al otro lado de la ecuación de la mercadotecnia y la publicidad están los comerciales Jenny Choy, Ann Dye, Nellie Kurtzman, Jennifer McClelland-Smith, Tina Mcintyre, Stephanie O'Cain, Alice Morley, Adrian Palacios, Emilie Polster y mi más feroz competidora en el arte de llevar siempre gafas de sol: Victoria Stapleton. Gracias a todos por divulgar los secretos de P. B. Por aquí, por allá, y por el resto de los sitios. Gracias también al equipo de ventas: Dave Epstein, Shawn Foster y Chris Murphy. Y al de producción: Renée Gelman, Virginia Lawther y Rebecca Westall. Sé que me olvido de algunos nombres: si el tuyo es uno de ellos, por favor, perdóname. Es alentador, aunque un poco difícil de creer, que tantísima gente esté involucrada en algo que a menudo parece una labor solitaria.

Por supuesto, al final, todos servimos a los que de verdad mandan en Little, Brown: los editores. Andrew Smith y, sobre todo, Megan Tingley, gracias a vosotros desde lo más profundo de esa caja de bombones en forma de corazón que tengo en el pecho por todo el apoyo brindado a lo largo de los años. Me siento humillado, bueno, no, honrado, por la confianza que habéis puesto en mí y en mis libros. Al cabo de diez años, os considero a vosotros mis amigos, y a LBYR mi hogar.

Esto ya casi lo comprende todo, salvo algunos agradecimientos que debo a otros que están más cerca de mi mesa de trabajo. *Quiche* puede ser el que le da a las teclas de mi teclado, pero ese ayudante conejo ha tenido a su vez ayudantes humanos: Pablo Valencia y Shane Pangburn o, como yo los llamo, *Quiche I* y *Quiche II*. Gracias, chicos, por mantener a P. B. al día y hasta olfatear su correspondencia y su vida internáutica. No hubiéramos podido hacerlo sin vosotros, ni siquiera con la ayuda de pingüinos especialmente entrenados. Pero intentad no ser tan divertidos en el futuro. Es desconcertante.

Ya expliqué cómo empezó la vida de P. B., pero mi propia vida como escritor empezó mucho antes, inspirado (en contra de su consejo) por mis padres, que también son escritores. Uno de mis primeros trabajos consistió en escribir un guion con mi padre, Roger L. Simon. Gracias, papá, por esa experiencia que me enseñó tanto sobre la trama y el personaje y, lo más importante para un escritor profesional, sobre cómo sobrevivir a las indicaciones de un jefe furioso. A mi madre, Dyanne Asimow, no le podría agradecer todo lo que se merece, así que no lo intentaré. Basta decir que empezó a ayudarme a escribir cuentos antes de que pudiera escribirlos yo solito, y nunca ha dejado de ayudarme. No lo haría aunque yo se lo permitiera. Cosa que nunca haré. Te quiero, mamá.

Finalmente, siempre esperando impaciente a que acabe, está mi propia familia. Somos dos padres (varones) con dos hijas, y no querría que fuera de otro modo. Phillip, India y Natalia: sois el mejor motivo en que puedo pensar para empezar a escribir por la mañana, y el mejor motivo para dejar de hacerlo al final del día. Mi amor por vosotros está en cada palabra y en los espacios que hay entre ellas.

RAPHAEL SIMON

Otros libros de la serie

Es una farsa. Un engaño. Simples trucos. Al menos, esto es lo que Clay, que ha asistido a muchos espectáculos, piensa de la magia. Por eso cuando llega al campamento de verano, adonde lo envían para evitar una expulsión, magia es lo último que espera encontrar allí. Pero en aquella isla volcánica se topará con extrañas sorpresas, una tras otra.

En esta segunda aventura, mientras Clay ayuda a su nuevo amigo, Brett, un chico náufrago que quiere mantener su presencia en secreto, empieza a desvelarse un ardiente misterio, pues todos los indicios apuntan a la imposible idea de que los dragones habitaron en otro tiempo la isla... y tal vez sigan en ella.